D1632450

NOUVEAU GUIDE
DU
MUSÉE DU PRADO

OVIDIO-CÉSAR PAREDES HERRERA
Docteur ès Lettres et Fhilosophie

NOUVEAU GUIDE

MUSÉE DU PRADO

PROLOGUE DU
EXCMO. SR. MARQUÉS DE LOZOYA

VERSION FRANÇAISE DE
F. BAUDRY et A. GALANT

EDITORIAL MAYFE, S. A.
Ferraz, 28
MADRID (8)

Imprimé en Espagne Printed in Spain

DEPÓSITO LEGAL: BI. 2703-1973
ISBN: 84-7105-085-4

Artes Gráficas Grijelmo, S. A. Uribitarte, 4.-Bilbao

PROLOGUE

JE reconnais que le mot «Musée» éveille en moi une impression assez ambiguë. Il supose, et c'est cela qui ne me plaît guère, le rassemblement de richesses artistiques arrachées aux lieux pour lesquels elles furent réalisées; exposées et classées dans un souci pédagogique qui leur enlève beaucoup de leur charme. Mais d'un autre côté, le Musée isole l'œuvre d'art de sa valeur anecdotique qui la voilait dans son emplacement primitif et elle s'offre pleinement à notre plaisir, dépouillée de tout artifice, dans son intrinsèque beauté. Sans doute celui qui va à la recherche de «l'Enterrement du Comte d'Orgaz» dans une église tolédane aiguise sa sensibilité à le découvrir à travers les ruelles moresques; mais le même tableau s'imposerai au Musée par sa seule beauté sans le secours des minarets mudejars ni des grilles du style Renaissance.

Le Musée du Prado est peut-être l'unique Musée qui procure ces deux sortes de jouissance devant des œuvres d'art dont la quantité et la qualité sont étonnantes. Sans doute ces chefs-d'œuvre s'offrent-ils à nous dans un ordre didactique mais le lieu est tout impregné de poésie. L'édifice est classique mais d'un classicisme sensibilisé par les premières influences romantiques avec ses colonnes bleuâtres d'une grande harmonie; nous nous sentons, sous ses voûtes et parmi ses rotondes, semblables à ces petits personnages qui dans les vieilles gravures servent à donner des proportions humaines à l'architecture.

Libre de tout souci didactique, nous nous trouvons dans le Prado comme dans les salons d'un palais ou dans les nefs d'une cathédrale. Il n'a pas été créé par une loi dans le désir d'augmenter la culture du citoyen. C'est la collection particulière des Rois d'Espagne amateurs de peinture et elle fut offerte au public par celui qui ne sut sans doute aimer ni comprendre autre chose que les œuvres d'art. C'est ce qui rend l'atmosphère du Prado si singulière. Je crois que seul le Musée de L'Ermitage à Saint-Petersbourg et non à Leningrad peut donner une impression semblable. Le visiteur qui dispose de temps pour visiter le Musée comme on doit faire dans un grand Musée n'a pas besoin de guide. Il doit renouveler les visites sans les allonger; une vingtaine de tableaux du Musée du Prado méritent une visite particulière consacrée entièrement à chacun d'entre eux. A ce genre de privilégié suffit la simple lecture des indications qui sont écrites au bas du tableau. Mais pour les autres, les plus nombreux, qui doivent parcourir le Musée en quelques heures, il leur faut un guide «en chair et en os» ou un guide imprimé qui les dirige à travers le labyrinthe des galeries et des salles et leur désigne le plus intéressant à voir.

Ovidio-César Paredes Herrera, qui a consacré toute sa jeunesse aux études artistiques, s'offre à être notre aimable guide. Sa finesse d'observation, ses connaissances, tout ce qui fait de lui une sorte de gourmet en matière d'art, se trouvent ici dans ce livre que vous avez dans les mains, simple et rempli de notes pénétrantes. Il ne s'agit ni d'un traité ni d'un catalogue, simplement d'un conseiller, d'un ami fidèle qui vous montrera le chemin en appelant toujours votre attention avec la plus grande sûreté sur les œuvres que vous devez contempler. Il demeurera comme un souvenir agréable de votre voyage toujours à votre disposition dans votre foyer lointain pour vous permettre d'évoquer les émotions que vous ont procurées quelques heures passées dans le lieu peut-être le plus choisi de la terre.

EL MARQUÉS DE LOZOYA

LE MUSÉE DU PRADO

Le Musée National de Peinture qui portait autrefois le nom de Musée Royal et qui est plus communément connu sous le nom de Musée du Prado, est situé dans l'une des plus belles avenues de Madrid: la promenade du Prado qui lui donné son nom. Cet édifice, aux lignes sévères et élégantes, s'élève à quelques pas de la place de la Cibeles, très près du Jardin Botanique. L'église de «San Jerónimo el Real» et les futaies des jardins du «Buen Retiro» lui servent, pour ainsi dire, de toile de fond.

L'extérieur, de style néoclassique, plein d'harmonie, dépourvu d'ornements baroques, offre aux regards un édifice de trois étages, à quatre façades qui forment un parallélogramme de 182 mètres de long sur 36 de largeur. La façade principale est composée d'une double galerie avec, au centre, un beau portique de style dorique. Des colonnes, des arcs ogivaux et des bustes, ornent la façade de la galerie inférieure, où se mèlent harmonieusement les éléments de style dorique et ionique. A l'entrée se dresse une grande statue en bronze représentant Velasquez, avec de chaque côté, de larges pelouses.

La façade orientée au sud, face à une petite place où s'élève la statue du peintre Murillo, est moins intéressante du point de vue architectural. Le style corinthien y domine. Quant à la façade orientée au nord, contiguë à l'hôtel Ritz, elle est la plus connue des visiteurs. Devant s'élève le monument de Goya.

Cette façade comporte deux entrées; l'une donne accès au rez-de-chaussée; on parvient à l'autre, au-dessus, par double escalier en pierre de granit, de construction moderne, qui se termine à l'entrée, encadré par un péristyle reposant sur deux colonnes ioniques.

L'auteur du plan de l'édifice est le fameux architecte madrilène Juan de Villanueva, qui vivait sous le règne de Charles III. C'est en 1785 qu'il présenta au roi un projet pour construire un Musée d'Histoire Naturelle. Charles IV continua l'ouvrage. On fit restaurer plus tard l'édifice que la guerre d'Indépendance avait endommagé. Enfin, Ferdinand VII décide d'en faire le Musée National de Peinture. Il continue l'œuvre de restauration en l'adaptant à son nouvel objet, et lui même inspecte les travaux et l'ordonnance des salles.

L'inauguration officielle, plusieurs fois retardée, eut lieu le 19 novembre 1819. Le Musée offrait au public quelques 311 tableaux qui retinrent l'attention des connaisseurs.

Ferdinand VII poursuit les travaux d'agrandissement. Des décrets et des ordonnances royales sont pris, de nouveaux tableaux exposés. Les collections se complètent sous le règne des successeurs de Ferdinand grâce à des donations, aux legs de particuliers et à divers acquisitions d'œuvres avec des fonds du propre Musée.

Au mois de mai 1956, le Musée est élargi avec l'inauguration de quinze nouvelles salles, dont quatre doubles, en deux corps construits dans l'ancien jardin. Les architectes auteurs de cet agrandissement sont MM. Chueca et Lorente.

On a changé dans la réorganisation actuelle l'emplacement d'un grand nombre d'œuvres, tâchant de réunir des tableaux de grands peintres qui étaient auparavant dispersés en plusieurs étages et locaux. Comme conséquence, on peut suivre un itinéraire plus ordonné de la peinture des plus importants maîtres du Musée et obtenir une idée plus ample de leur œuvre.

C'est ainsi que nous pouvons voir maintenant l'œuvre du **Greco** dans une suite de trois salles; celle de **Vélasquez**, en six salles; celle de **Goya,** en neuf, outre la rotonde finale de la Galerie Centrale; celle du **Véronèse,** en deux, et dans des grandes salles, celles de **Van Dyck, Bruegel «de Velours», Murillo, Ribera,** etc.

Récemment on a ouvert au public la nouvelle installation du demi-sous-sol avec deux salles consacrées à la peinture anglaise et hollandaise, et la salle de conférences, qui sera aussi habilitée pour des expositions d'un caractère temporaire.

Les œuvres sont généralement groupées par écoles et auteurs, dans une adroite distribution de salles, d'accord avec la disposition du bâtiment, lesquelles sont distinguées, d'une façon bien visible et claire, sous le système de numération romaine. Les salles nouvelles ont le même numéro des anciennes auxquelles elles sont jointes, suivi de la lettre A, exception faite de la Salle XV.

La direction du Musée accorde tous ses soins à la conservation et à la restauration des tableaux qui sont, en général, dans un état excellent malgré l'action du temps et la qualité de la couleur parfois fragile.

Les précautions constantes qu'exigent la restauration et les conditions climatiques de la capitale espagnole obligent parfois à enlever les tableaux des salles d'exposition et dans les mois d'été à fermer quelques unes d'entre elles.

Presque tous les tableaux que conserve le Musée du Prado sont des peintures à l'huile; on y trouve aussi des décorations romanes à la fresque, des sculptures, une collection de joyaux, quelques peintures à la détrempe et quelques aquarelles dans les salles inférieures, en installation provisoire.

L'école espagnole est, sans aucun doute, la plus importante et la plus complète. Elle est surtout riche en œuvres signées de peintres du XVIe et du XVIIe siècle: **Morales, Gallegos, Juan de Juanes, el Greco, Maino, Sánchez Coello, Zurbarán, Ribera, Murillo, Ribalta, Carreño Miranda, Rizi, Valdés Leal, Alonso Cano, Goya** et **Vélasquez.**

Vient ensuite l'école italienne avec les chefsd'œuvre de **Mantegna, Botticelli, Fray Angélico, Rafael, le Titien, Véronèse, le Corrège, Tintoret, Bassano, Luini, Lotto, A. del Sarto, Giorgione, Lucas Jordán** et **Tièpolo,** très complète en auteurs et en nombre de tableaux, surtout du **Titien, Véronèse** et **Tintoret.**

Les écoles flamandes, allemandes et hollandaises nous offrent des œuvres admirables caractéristiques de la peinture de ces pays, celles de **Hans Memling, Metsys, Van Orley, A. Dürer, Rubens, Van Dyck, Bruegel «de Velours», «el Bosco», Jordaens, Teniers, Rembrandt** et **Antonio Moro.**

L'école française, plus largement représentée, nous donne l'image de la peinture de ce pays avec les noms de **Watteau, Poussin, Lorrain, Jean de Boulogne, Courtois, Mignard, Simon Vouet, Ranc, Houasse.**

La sculpture occupe une place à part. Deux salles lui sont réservées au rez-de-chaussée, mais on trouve aussi quelques œuvres qui sont réparties dans les différentes galeries et dans les dépendances du Musée.

Très importante aussi est la Salle LXXIII, du rez-de-chaussée, consacrée au *Trésor du Dauphin*, où sont exposés les joyaux que Philippe V hérita de son père, le Grand Dauphin de France, fils de Louis XIV.

On y trouve aussi de très beaux meubles, de très belles tapisseries, des céramiques, des collections de monnaies, et des miniatures de diverses époques que leurs possesseurs offrirent au Musée.

Il faut aussi signaler la très intéressante collection de dessins de **Francisco de Goya,** qui sont exposés en partie en installation provisoire au rez-de-chaussée de l'édifice.

Ce bref coup d'œil jeté sur l'ensemble, aussi schématique que les lignes qui marquent un tableau, entrons dans cet admirable temple des Beaux-Arts. **El Greco, Vélasquez, Murillo, Titien, Rubens, Goya...** nous attendent dans le Musée du Prado, comme s'ils étaient chez eux, pour nous faire partager leurs émotions et nous enseigner leur art. C'est là que nous allons diriger nos pas, même si nous ne disposons que de quelques heures, en profitant d'une de ces agréables matinées madrilènes. C'est là qu'il nous faudra revenir, chaque fois que nous disposerons de quelques loisirs.

J'essaierai d'être bref, ami lecteur, simple et concis. Avec le plus de clarté possible, je serai votre guide de papier dans cette visite du Musée que nous allons faire de compagnie... Puis, plus tard, quand vous serez devant votre bibliothèque où vous m'aurez peut-être conservé, entre autres souvenirs sur Madrid, je vous rappellerai les heures où je vous ai servi de Guide et qui constituient dès lors un souvenir d'une agréable visite aux peintres du Musée du Prado, à ces merveilleux tableaux qui éveillèrent en vous de si grandes émotions.

Pour cela et pour utiliser au mieux notre temps, nous nous sommes fixé un rendez-vous, à la porte du Musée, près de l'escalier qui donne sur la rue de Philippe IV, face à la statue de Goya, à l'endroit le plus indiqué pour la visite.

Montons l'escalier qui nous conduit à la porte de la galerie principale, et après avoir acquitté les droits d'entrée, pénétrons à l'intérieur.

AUX LECTEURS

Pour rendre plus facile l'emploi de ce guide, on y a fait figurer en chiffres romains, à la partie supérieure de chaque page, la numération de la salle ou des salles y concernantes; celles-ci suivent l'ordre corrélatif numérique, ayant placé celles qui portent la lettre A, qui sont de création récente, après les anciennes, qui ne portent pas cette lettre.

On excepte de cet ordre les salles consacrées au Greco (X, XI et XXX), qui sont l'une à la suite de l'autre, et la Salle X A, qui précède à la X.

De cette façon, le lecteur, à n'importe quelle salle où il sera, pourra trouver d'un simple coup d'œil à la partie haute des pages, celle qui contient la description de ses tableaux. Ceux-ci sont décrits ou cités là où ils se trouvaient au moment de faire ce guide. Il ne doit pas surprende si, comme il arrive dans tous les musées du monde, quelque déplacement (provisoire ou définitif) a pu avoir lieu plus tard.

LES EDITEURS.

L'INTÉRIEUR DU MUSÉE

ÉTAGE PRINCIPAL

SALLE I.—ROTONDE

Nous éprouvons tout de suite une grande émotion devant ce somptueux vestibule circulaire, entouré de huit élégantes colonnes de style ionique et que offre une magnifique perspective sur la galerie centrale. Mais il nous faut auparavant saluer Charles-Quint vainqueur qui nous attend au centre du vestibule. C'est une sculpture en bronze de **Leoni,** finie en 1564, de style nettement renaissant. La cuirasse que porte le roi peut, fait curieux, se démonter, mettant à découvert le corps dont les proportions son magnifiques. Elle représente l'empereur Charles V vainqueur dans sa lutte contre les ennemis de la religion catholique.

Quelques tableaux aux sujets historiques décorent les murs de ce vestibule, des 12 que Philippe IV avait commandé pour orner le Palais du Buen Retiro, presque tous représentent des victoires remportées par les Espagnols durant la guerre de Trente Ans. Ce sont de grandes compositions peintes à l'huile, chargées de détails narratifs; quelques unes son d'ailleurs mal restaurées.

N.º 635, *La bataille de Fleurus;* le **n.º 636,** *La délivrance de la place de Constance*, de **Vicente Carducho** (1576-1638). École espagnole.

N.º 183, *Prise d'une place forte*, de **Lucca Giordano,** en Espagne **Lucas Jordán** (1632-1705).

Le **n.° 653,** *Reprise de San Juan de Puerto Rico,* Don Juan de Haro repoussant les Hollandais, et le **n.° 654,** *Reprise de l'île de Saint-Christophe,* fruits du pinceau de **E. Caxès** (1577-1634). École espagnole.

N.° 166, *La prudente Abigail,* par **Giordano.**

À cette même série appartiennent aussi les trois tableaux suivants, qui se trouvent dans d'autres dépendances, et que nous verrons plus tard: *La délivrance de Gênes par le Marquis de Santa Cruz,* œuvre de **Pereda;** *La reconquête de Bahia du Brésil,* de **Maino,** et *La réédition de Bréda,* ou tableau de *Les Lances,* de **Vélasquez.**

Nous trouvons dans ce vestibule ou rotonde trois portes: une d'entre elles, centrale, qui nous met en communication avec la Grande Galerie, consacrée à la peinture espagnole; une autre, à droite, qui nous conduit aux salles consacrées aux peintres flammands du XVIe siècle, et l'autre, en fin, à gauche, qui est la plus recommandable pour un itinéraire ordonné, nous met en communication avec la peinture italienne.

SALLE II.—PEINTURE ITALIENNE. RAPHAËL

Préparée par une longue série de primitifs, l'apogée de la peinture italienne date du XVIe siècle. L'aspiration suprême des artistes de cette époque est l'idéal classique. L'art, comme la culture, veulent restaurer le monde gréco-romain. Aux saintes et aux vierges viennent se joindre les dieux et les déesses du paganisme dans leur tranquille nudité. Les vierges chrétiennes nous sont peintes avec les chairs opulentes des Vénus; la forme atteint sa perfection ainsi que le sentiment du nu chez plusieurs artistes. La peinture se développe dans ce classicisme qui s'appela Renaissance, qui devait avoir une si grande influence et diffusion dans toute l'Europe, et où bientôt seront profilés les groupes ou écoles à caractères propres bien définis: l'école florentine, qui atteint sa plus haute perfection dans le dessin, et dont la première figure est **Raphaël,** et l'école vénitienne, où l'on observe une perfection accentuée de la couleur, en tête de laquelle se trouve le **Titien.**

Raffaello Sanzio d'Urbino, mieux connu sous le nom de **Raphaël** (1483-1520), peintre de renommée mondiale et prince de l'école florentine, dont l'art eut un écho dans toute l'Europe, fut disciple de **Perugino,** et reçut plus tard l'influence de **Michel Ange,** qui lui donne son enseignement. Malgré une vie très courte, puisqu'il mourut à 37 ans, il laissa une œuvre immense, propre d'un génie, pleine d'un style grandiose, très personnel. En pleine possession de sa technique, il domine aussi bien la peinture sur fresque que la peinture à l'huile, il possède une grande facilité d'adaptation et peint avec minutie, en parvenant parfois à obtenir des qualités de miniaturiste.

Nous voyons d'abord le portrait **n.º 299,** *Le Cardinal,* (Pl. I), peint vers 1510 et acheté par Charles IV; le personnage qu'il est difficile d'identifier et qui a été en butte à toute la fantaisie populaire, est peutêtre Jules de Médicis (Clément VII), Dovizi di Bibbiene ou Mathias Schinnere. C'est un chef-d'œuvre dans le genre du portrait. Nous pouvons contempler là le véritable type du prélat de la Renaissance, au visage plein d'expression, peut-être un de ces princes de l'Église au regard concentré et d'une subtile intelligence. Le dessin et la couleur donnent au portrait une valeur extraordinaire.

N.º 296, *La Sainte Famille et l'Agneau* datée de 1504, était conservé dans le sanctuaire de l'Escorial. Il entre au Musée en 1837. C'est l'un des plus petits tableaux du Musée, d'un très joli dessin, d'une couleur délicieuse, et où il faut peut-être noter les influences de **Fra Bartolomeo** et de **Leonard de Vinci.**

N.º 302, *La Vierge à la Rose*, peinte vers 1518, provient elle-aussi de l'Escorial et rappelle la *Petite Sainte Famille* du Louvre. C'est un tableau d'une technique toute raphaëlesque par sa couleur, sa composition et le charme de ces très belles madones au profil classique, de ces vierges pleines de tendresse qui portent dans leurs bras de gracieux enfants.

N.º 301, *La Sainte Famille*, vulgairement appelée *La Perle*, appartint à Charles Ier et à Philippe IV, qui s'écria le jour où il le vit pour la première fois: «Voici la perle de ma collection», d'où son surnom.

N.º 298, *La chute sur le chemin du Calvaire* passa aussi sur toile, en 1818, à Paris. Elle est signée de l'auteur et date des environs de 1517. Elle demeura au couvent de Santa Maria delle Spasimo de Palerme, d'où le nom absurde qu'on lui donna: *Le spasme de Sicile*. Le Vice-Roi Comte d'Ayala l'envoya à Philippe IV; on la conserva quelque temps au Palais; on la considérait comme une toile de très grande valeur sans qu'elle le fut autant qu'on le croyait. Il semble qu'elle soit inspirée des Passions de **Dürer.** On y note la main habile d'un de ces disciples et les attitudes, les visages des personnages qui accompagnent le Seigneur sont fort expressifs. Le dessin est parfait, la composition classique, mais la couleur un peu pauvre.

N.º 303, *La Sainte Famille au Chêne*, éxécutée vers 1518, dont il existe un autre exemplaire légèrement différent à la Galerie Pitti de Florence, fut peinte par **Raphaël** avec l'aide de quelques uns de ses disciples.

N.º 300, *La Visitation*, fut acquise par Philiphe IV, en 1655, pour l'Escorial; c'est une peinture de dernière époque. Peinte d'abord sur bois, elle passa sur toile. Elle est de la main du peintre, mais on note l'intervention d'un de ses disciples, peut-être de **Perino del Vaga.**

N.º 297, *La Vierge au Poisson*, qui date des environs de 1513, la grande époque du peintre, est en grande partie de la main de **Raphaël,** et pour le reste de quelques uns de ses élèves. Tableau d'une étonnante beauté et à tout de vue d'une finesse admirable.

On peut aussi contempler diverses copies des œuvres de **Raphaël** d'un moindre intérêt, qui sont dues à ses disciples et imitateurs:

N.º 304, *Andrea Navagero, écrivain et diplomate vénitien.*

N.º 315, *La Transfiguration du Seigneur*, copie attribuée à **Penni,** de l'œuvre qui se trouve au Vatican.

SALLE III.—FRA ANGELICO ET BOTTICELLI

Le joyau de cette salle est le **n.º 15,** *L'Annonciation* œuvre de **Guido di Pietro da Mugello,** mieux connu comme **Fra Angelico** (1387-1455), tableau peint à la détrempe et dont la partie inférieure ou «predella» représente des scènes de la vie de la Vierge: la Naissance, les Fiançailles, la Visitation, l'Adoration des Rois Mages, la Purification et la Dormition. Il fut peint vers 1445 pour le couvent de Saint-Dominique de Fiesole. Acheté plus tard par le Duc de Lerma, il demeura au couvent des Déchaussées Royales de Madrid jusqu'à son entrée au Musée. Il en existe trois exemplaires à Florence, dans l'église Saint-Marc. C'est une œuvre d'une divine simplicité, d'une surprenante minutie et qui réflète la pureté sans tache d'une âme tout éprise de spiritualité. C'est un art angélique et surnaturel, une peinture qui jaillit du cœur comme une prière; les personnages sont dessinés avec une suavité délicate, dans la plus fine technique florentine. Un coloris d'une lumineuse clarté, «pétri avec la lumière du Paradis», comme le disait Denis, enveloppe toute la scène. C'est une œuvre prestigieuse qui nous montre un art plus divin qu'humain et qui nous élève dans ses régions célestes où le bleu atteint une pureté jamais égalée. **Fra Angelico** et **Massaccio** sont les astres autour desquels gravitaient les peintres de l'époque. Ils ont été les sommets de la peinture florentine.

Nous voyons ensuite le **n.º 577,** *La Vierge à l'Enfant*, une peinture à la fresque due au pinceau de **Antoniazzo Romano** (1461-1508).

L'Histoire de Nastagio Degli Onesti, que nous trouvons après, est faite de trois tableaux de forme oblongue, éxécutés par **Sandro Botticelli,** peintre de l'école florentine (1445-1510), disciple de **Filippo Lippi.** Le sujet en est fourni par la huitième nouvelle de la cinquième journée du *Décaméron* de Boccace. C'était un ensenible de quatre panneaux dont trois seulement nous sont présentés ici. Il fut peint en 1487, et ce n'est pas le meilleur de ce peintre. Si le dessin possède la grâce et la vivacité habituelles à **Botticelli,** il est parfois d'un maniérisme excessif.

De cette œuvre qui passa dans les mains de divers collectionneurs, un panneau se trouve à Londres et les trois autres que nous voyons ici furent achetés à Berlin par M. Cambó, qui en fit don au Prado. L'œuvre de ce peintre est d'une grande personalité, d'un coloris brillant, et, malgré quelques maladresses dans le dessin, ses personnages sont toujours gracieux et élégants. **Botticelli** vit au moment où l'éclat de Florence est le plus brillant. Son art réflète une grâce, une légèreté, une vivacité caractéristique de ce haut moment d'une civilisation, et il sait demeurer dans une juste mesure entre le raffinement de la cour médicéenne et l'austérité franciscaine que prêchait Savonarole.

1.er tableau, **n.o 2838.** Nastagio *(scène I, à gauche)*, dédaigné de son aimante, promène tout pensif son infortune et songe au suicide. Des cris de femme le font tressaillir et il voit *(scène I)*, accourant vers lui, une jeune femme d'une très grande beauté, échevelée et nue, pourchassée par des chiens et poursuivie par un chevalier, qui, l'épée au poing, menace de la tuer. Nastagio tente de la défendre, faute d'armes, avec des branches, mais le chevalier lui demande de n'en rien faire et lui explique le spectacle auquel il assiste. Comme Nastagio, il a, lui-aussi, aimé follement cette femme; il n'a pu supporter ses dédains, il s'est suicidé, se condamnant pour l'éternité. Mais sa mort entraîna le châtiment de la femme aimée et, depuis lors, les deux souffrent la peine qu'il vient de voir et qui se renouvelle tous les vendredis lorsqu'ils sortent de l'enfer.

2.ème tableau, **n.o 2839.** Le chevalier porsuit celle qu'il a tant aimée comme s'il s'agissait de son plus mortel ennemi; il la rejoint et lui arrache le cœur, qu'il jette à ses chiens *(scène I)*. Mais elle revit immédiatement, la pursuite reprend *(scène II, au fond)* et le supplice se renouvelle éternellement.

3.ème tableau, **n.o 2840.** Fortement ému, Nastagio voit une relation avec son infortune. Il décide de donner une leçon à son aimante. Il l'invite, elle et ses parents à un festin qu'il donne sur les lieux de la vision. Au cours du repas surgit l'apparition qui effraie les convives; ils veulent protéger celle qui est poursuivie, mais Nastagio les retient tandis que le chevalier de la vision leur explique ce qui est arrivé. La bien-aimée de Nastagio, toute émue, se repent et lui rend son amour.

Le quatrième tableau, qui manque, représente le festin des noces.

N.o 143, *Saint Jérôme, Sainte Marguerite et Saint*

François, les trois figures debout, sur un paysage de fond, par **Giacomo** et **Giulio de Francia,** tous deux italiens, frères qui vivent entre 1486 et 1540.

SALLE IV.—PEINTURE ITALIENNE ANTÉRIEURE A LA RENAISSANCE

N.º 2843, *L'ange musicien.* Panneau peint à la fresque par **Melozzo da Forli** (1438-1494), disciple de **Piero de la Francesca,** il a quelque ressemblance avec d'autres figures d'anges de la Pinacothèque du Vatican.

N.º 2481 et **2842.** Deux panneaux traitant sur des moments de la vie de Saint-Éloi, attribués à **Tadeo Gaddi** (1300-1366), disciple de **Giotto.**

Ensuite, un autre panneau, le **n.º 2844,** de **Giovanni da Ponte,** artiste florentin qui vécut de 1376 à 1437, qui représente *Les sept Arts libéraux*, composition allégorique où on voit les Arts accompagnés de savants: l'Astronomie, avec Ptolèmée; la Géometrie, avec Euclide; l'Arithmétique, avec Pythagore; la Musique, avec Tubalcain; la Rhétorique, avec Cicéron; la Grammaire, avec Donate, et la Dialectique, avec Aristote.

Le **n.º 244,** *La Vierge et Saint Joseph adorant l'Enfant*, de **Maineri.**

Au dessus de ce tableau, nous voyons le **n.º 577 A,** triptyque qui, fermé, montre Saint Jean Évangeliste et Sainte Colomba, et ouvert, le buste du Christ entre Saint Jean Baptiste et Saint Pierre, de **Antoniazzo Romano.**

N.º 525, *La continence de Scipion*, attribué, avec quelque doute, à **Peruzzi** (1481-1536).

Mais, parmi toutes les œuvres de cette salle, la meilleure et la plus importante est une petite peinture à l'huile qui échappe à l'attention du visiteur précisément en raison de sa petitesse: **n.º 248,** *La Dormition de la Vierge* (Pl. II), peinte en 1462 ou 1492 par **Andrea Mantegna** (1431-1506); c'est une œuvre sèche, précise; le dessin est âpre, la couleur sans séduction, mais tout y est mésuré et étudié. **Mantegna** révèle là son goût de la plastique, son réalisme et un coup de pinceau étonnant, comme le démontre le paysage de l'arrière-plan; sans doute y a-t-il un peu de dureté, mais la technique en est parfaite.

N.º 524, *L'enlèvement des Sabines.*

Le **n.º 477,** *La Vierge, l'Enfant et deux anges,* par **Francesco Rossi «il Salviati»** (1510 à 1563), provenant de la collection d'Isabelle de Farnèse.

N.º 287, *La Sainte Famille,* de **J. Carucci, «il Pontormo»** (1494-1557).

SALLE V.—PEINTRES DE LA RENAISSANCE ITALIENNE

Nous voyons ici en premier lieu plusieurs tableux d'**Andrea del Sarto,** peintre florentin (1486-1531), maître à la composition et au dessin.

N.º 332, *Lucrèce di Baccio del Fede* (Pl. 1). Dans ces deux derniers tableaux, les plus parfaits, nous constatons ses qualités: perfection de dessin et coloration délicate à guise d'enluminure, ainsi que la composition et distribution, qui sont toujours parfaites.

N.º 112, *La Vierge, l'Enfant Jésus et Saint Jean,* du même peintre, un tableau supérieur au précédent. Il appartenait à la collection d'Isabelle Farnèse.

N.º 111, *Noli me tangere* (Pl. 2), un des tableaux les plus connus du **Corrège** (1493-1534); il fut peint vers 1525 et offert par le Duc de Medina de las Torres à Philippe IV, qui l'envoya au Monastère de l'Escorial, d'où il provient. Il représente le Christ vêtu en jardinier, au moment de l'apparition à Marie Madeleine. La figure de Jésus est d'une beauté trop mièvre. La peinture est douceâtre et suave l'impression qu'elle procure. On pense plutôt à un sujet païen qu'à une apparition religieuse. La couleur est celle d'un très bon chromo. Par ce tableau théâtral le **Corrège** se montre un peintre ivre de beauté.

N.º 5, *Don Garcia de Médicis*, portrait d'enfant œuvre de **Bronzino** (1503-1572), peinture médiocre de ce bon portraitiste italien.

N.º 504, *La Joconde*, copie à l'huile sur bois, dont le dessin et la couleur sont excellents, du portrait de Mona Lisa existant au Musée du Louvre, qui fut peut-être exécuté par **Yañez de la Almedina,** peintre espagnol, élève de **Leonard de Vinci,** qui introduit en Espagne les formes de la Rennaissance.

N.º 338, *La Vierge, l'Enfant, Saint Jean et deux anges*, et le charmant portrait de la femme du peintre.

N.º 243, *Salomé recevant la tête du Baptiste*, de **Bernardino Luini** (1480?-1532), que l'on suppose disciple de **Leonard de Vinci,** dont on observe l'influence à sa technique parfois maniérée, poussée par un idéal de beauté sereine, douce, ingénue et peu variée.

N.º 336, *Le sacrifice d'Abraham arrêté par un ange;* **n.º 337,** *La Vierge et l'Enfant Jésus;* **n.º 335,** *La Sainte Famille;* **n.º 579,** *Saint Jean Baptiste et l'Agneau;* **n.º 334,** *Thème mystique*, la Vierge, l'Enfant, un saint et un ange.

N.º 241, *Jésus et Saint Jean s'embrassant*, est une copie de ce peintre.

N.º 242, *La Sainte Famille.*

N.º 522, *L'Annonciation*, par **Danielle de Volterra** (1509-1566).

El Cardenal.—The Cardinal.—Le Cardinal.—Der Kardinal.—Il Cardinale

El tránsito de la Virgen.—The Death of the Virgin.—La dormition de la Vierge.—De Tod der heiligen Jungfrau.—L'Assunzione della Madonna.

SALLE VI.—PEINTURE ITALIENNE (Suite.)

Nous trouvons dans cette salle une série d'œuvres importantes de maîtres du groupe vénitien, à la manière d'une introduction à la plénitude de l'art de cette école, que nous admirerons plus tard.

Deux portraits de **Parmigianino** (1503-1540), sobres et bien tracés; le **n.º 279,** *Pedro María Rossi, comte de San Segundo,* et le **n.º 280,** *Dame avec trois enfants,* peint entre 1523 et 1527.

N.º 323, *Noli me tangere,* dont le dessin est atribué à **J. Romano** (1499-1546) et l'exécution à **G. Penni, «il Fattore»** (1488-1528).

N.º 69, *Alfonso II de Este* (?), œuvre attribuée à **G. Carpi** (1501-1556), d'après les uns, et au **Bronzino** (1503-1572), d'après les autres.

N.º 329, *La Sainte Famille,* de **Jacopo del Conte,** peintre florentin (1510-1598).

N.º 16, *Pietro Maria, médecin de Cremona,* de la peintresse **Luccia Anguisciola** (1538?-1565).

N.º 57, *La Flagellation,* tableau que l'on attribua à **Michel Ange,** et postérieurement à **Gaspar Becerra,** et que, à croire Venturi, serait de **Marcello Venusti** (1515?-1579).

N.º 283, *La Sainte Famille avec un ange,* œuvre de **«il Parmigiannino»** (1503-1540), très semblable à une autre de la Galerie des Uffizi.

N.º 18, *La Naissance,* œuvre de **Barocci** (1526-1612), acquise par Charles IV.

Sans numéro, *Christ sur la Croix,* par **Barocci.** Légué par le Duc Urbain au Roi Philippe IV, en 1628.

Au centre de la salle, on peut admirer un buste en marbre, *Le Christ avec manteau pourpre,* sculpture italienne du troisième quart du XVIe siècle, donation faite par M. Harris.

SALLE VII.—ÉCOLE VÉNITIENNE

Au commencement du XVIe siècle, Venise est le centre d'un nouveau mouvement artistique, caractérisé par la splendeur de la lumière que traduit la richesse du coloris et par la liberté de la composition. L'art nous offre l'image lumineuse de la vie brillante des Vénitiens. On peint des scènes de la vie biblique; la beauté des saints révèle leur origine supra-terrestre, et le visage de la Vierge elle-même prend l'apparence de celui des grandes dames vénitiennes. Les peintres de Vénise sont les peintres de la lumière; la couleur plus que le dessin exprime leurs états d'âme; la richesse chromatique éclate partout.

Titien Vecellio (1477-1576) est le maître et le chef de cette école. Doué dès son plus jeune âge d'un grand tempérament artistique, il montrait bien vite ses aptitudes pour la peinture. Il étudia auprès de **G. Bellini,** et ses progrès furent rapides. A la mort de **Giorgione, Titien** est à son apogée et devient dès lors le peintre de l'aristocratie. Grands seigneurs, ducs, papes et rois sont ses clients. Le peintre atteint le sommet de son art; il est maître d'une technique, sans l'austérité ni le mysticisme des primitifs, ni non plus le sentiment décadent de ses continuateurs. **Titien** est le représentant d'un art équilibré, parfait, qui flatte tout autant les sens que l'esprit. Son but c'est l'exaltation de la nature dans toutes ses manifestations humaines. Doué d'une vitalité exubérante, après avoir commencé par imiter **Giorgione,** on voit son tempérament s'affirmer à travers la couleur. Sa vie longue et intense lui permet de produire une infinité d'œuvres. Charles V et Philippe II le comblent d'honneurs et de récompenses, grâce à quoi le Musée du Prado peut offrir une sélection des plus importants chefs-d'œuvre de ce peintre.

N.º 448, *Saint Jérôme, pénitent,* attribué à **Lotto** (1480-1556), peintre de délicatesses extrêmes, interprète personnel de la transition vénitienne.

N.º 240, *Micer Marsilio et son épouse,* de **Lotto** aussi. Figures de mi-corps entre lesquelles on voit un angelet souriant malicieusement. Il fut acquis à la succession testamentaire de **Rubens,** d'où il passa aux Collections Royales, et, finalement, au Musée.

Aux Salles VIII et IX nous l'étudiérons de nouveau, car c'est là que sont exposés ses meilleurs tableaux; ici nous voyons les œuvres suivantes:

N.º 443, *La Vierge des Douleurs,* réplique du **n.º 444,** peinte sur bois; **n.º 434,** *Thème mystique,* la Vierge et l'Enfant avec Saint Georges et Sainte Cathérine (?).

N.º 444, *La Vierge des Douleurs* (Pl. 3), peinture sur marbre, fort supérieure à la **n.º 443** qui se trouve dans cette même salle; nous voyons le buste de la Vierge, habillée d'un manteau bleu, le visage trahissant une intense et émouvante tristesse. On raconte que l'Empereur appréciait beaucoup cette Vierge des Douleurs qui le touchait profondément.

N.º 442, *Le Sauveur vêtu de jardinier;* c'est le fragment d'un tableau qui avait comme sujet l'apparition du Christ ressuscité à Marie Madeleine, dont il ne reste que le buste de Jésus; la toile est coupée et arrangée par **Navarrete «le Muet»,** exécutant ainsi les ordres reçus de Philippe II.

Le **n.º 20,** *Le Christ donnant les clefs à Saint Pierre,* de **Vicenzo Catena** (1470-1521).

N.º 288, *La Vierge avec l'Enfant dans ses bras, entre Saint Antoine de Padoue et Saint Roch,* œuvre de **Giorgione** (1478-1510), pas finie, dont la paternité a été discutée à maintes reprises; peut-être, l'opinion correcte est celle qu'attribue le tableau à **Giorgione**

dans l'époque de sa jeunesse. Il provient du Monastère de l'Escorial.

Viennent ensuite le tableau **n.° 50,** intitulé *La Vierge à l'Enfant entre deux Saintes*, de **Giovanni Bellini** (1429-1516).

N.° 437, «*Ecce Homo*», peint sur ardoise, tableau qui figure aussi parmi les peintures que Charles V avait à Yuste.

SALLE VII A.—PAUL VÉRONÈSE

Cette salle est préférablement consacrée à **Paolo Caliari,** né à Vérone, et appelé pour cela **Paolo Véronèse** (1528-1588). Nous verrons ici quelques uns de ses meilleurs tableaux. **Véronèse** fut le plus grand et le dernier représentant du faste vénitien. Travaillant sans effort, créateur d'une fécondité extraordinaire, il accorda à la décoration la première place, atténuant légèrement la couleur et la luminosité par l'emploi d'un délicat gris-argent.

N.° 490, *La Vierge, l'Enfant, Sainte Lucie et un martyr*, œuvre de l'atelier de **Véronèse.**

N.° 498, *La Madeleine repentante.* Il représente la Madeleine jusqu'aux genoux. Il est daté de 1583.

N.° 497, *Martyre de Saint Mène.* Sur un arrière-plan d'architecture, on voit le Saint à genoux, entouré de soldats et le bourreau avec l'épée.

N.° 486, *Livia Colonna*, épouse de Marcio Colonna, duc de Zaragollo.

N.° 487, *Lavinia Vecellio*, portrait de la fille du **Titien,** par **Véronèse.**

N.° 491, *La dispute avec les docteurs au Temple*, composition de grandes proportions, classifiée parmi les meilleures œuvres de **Véronèse.** Nous y notons le goût du **Titien** pour l'élément décoratif. Sur un fond de colonnes et de palais somptueux nous voyons Jésus adolescent, les Apôtres habillés à la mode de l'époque, et partout le luxe, la couleur et la pompe vénitienne, mais toût cela atténué, estompé par les teints grisâtres.

N.º 406, portrait de *Paul Cantareno*, de l'école du **Tintoret.**

N.º 501, *La fuite de la famille de Caïn.* Le fratricide, debout, à côté de sa femme, qui allaite son enfant.

N.º 492, *Jésus et le Centurion* (Pl. 4), œuvre classifiée comme de la dernière époque du **Véronèse.** On doit observer la beauté des vêtements et des armures des personnages. Acquise aux enchères de Charles Ier d'Angleterre, elle a été au Monastère Royal de l'Escorial, d'où elle passa au Musée en 1839.

N.º 499, *Le jeune homme entre la vertu et le vice*, où nous voyons apparaître un nouveau changement dans la couleur de **Véronèse.** Il y a une réplique du même sujet dans la collection Frick, de New-York.

N.º 270, *Les fiançailles mystiques de Sainte Cathérine*, œuvre anonyme d'école vénitienne où figurent, en buste, la Vierge, l'Enfant, Sainte Isabelle, Saint Joseph et Saint Jean.

SALLE VIII.—TABLEAUX DU TITIEN

N.º 446, *Sainte Marguerite*, œuvre de l'atelier du **Titien.**

N.º 447, *Sainte Cathérine;* il provient de l'Escorial.

N.º 439, *Jésus et le Cyrénéen*, tableau parfait, plein d'onction religieuse, où la figure du Christ a une expression émouvante. L'artiste a placé sa signature sur la pierre où s'appuie la main gauche du Seigneur. Nous constatons les aptitudes du peintre pour les sujets religieux, son intense spiritualité, la sobriété admirable de la couleur. Rien de plus grand que ce visage plein de tristesse, que le regard attendri du Cyrénéen, qui l'aide à soulever la Croix. Le tableau était suspendu dans l'oratoire de Philippe II et le monarque le vénérait. Le père Sigüenza prétendait que c'était le plus grand chef-d'œuvre qu'il eût admiré dans sa vie. Il entra au Musée du Prado en 1841.

N.º 430, *La Religion sauvée par l'Espagne*, tableau qu'il répète, avec quelques variantes, pour la famille Doria. Il fut envoyé à Philippe II après la bataille de Lépante.

N.º 438, *Jésus et le Cyrénéen*, œuvre analogue, quoique inférieure, à la **n.º 439** que nous verrons à cette même salle.

N.º 533, *L'électeur Jean Frédéric, duc de Saxe.*

N.º 431, *Philippe II, après la victoire de Lépante, offre au Ciel le Prince Ferdinand.* Celui-ci nacquit deux mois après cette victoire (1571) et mourut en 1578.

N.º 412, *Le chevalier à la pendule*, que quelques uns supposent être Juanelo Turriano.

N.º 414, Portrait de *Daniello Barbaro, patriarche d'Achilée.*

N.º 420, *Vénus et les plaisirs de la musique*, (Pl. III) c'est un tableau analogue, avec quelques variantes, au **n.º 421,** que nous verrons à la Salle IX. Ici, la déesse, couchée, joue avec un petit chien, tandis que sur l'autre il y a un cupidon. C'est une œuvre que l'on peut considérer comme de la dernière époque du peintre. Il s'agit d'une étude parfaite du nu féminin, de ligne gracieuse, à une couleur de chair vraiment extraordinaire.

N.º 413, *L'homme au col d'hermine*, portrait d'un personnage non identifié.

SALLE VIII A.—VÉRONESE ET AUTRES MAÎTRES

N.º 374, *Un magistrat vénitien,* et **n.º 370,** *Un jésuite,* tous deux du **Tintoret.**

N.º 500, *Le sacrifice d'Abraham,* œuvre tardive de **Véronèse.**

N.º 381, *Portrait de Marietta Robusti,* fille du **Tintoret,** peint par elle même.

N.º 484, *Jeune dame,* qui est attribué, avec des doutes, au **Tintoret.**

N.º 479, *Allégorie: Naissance du Prince Ferdinand, fils de Philippe II,* œuvre de **Michele Parrasio** (1516-1578), peintre vénitien.

N.º 480, *Sainte Agathe,* œuvre de **Carletto Véronèse,** fils de **Véronèse.**

N.º 483, *Suzanne et les vieillards,* œuvre de la jeunesse de **Véronèse,** thème qu'il exécuta a plusieurs reprises.

N.º 502, *Moïse sauvé des eaux du Nil* (Pl. IV). Toile peinte par **Véronèse** en 1575, pas très grande et belle de composition et de couleur, elle offre le curieux anachronisme de présenter la fille de Pharaon et ses dames habillées de vêtements luxueux, propres des dames vénitiennes contemporaines du peintre.

N.º 494, *Les noces de Cana,* œuvre de la première époque de **Véronèse,** où nous observons le même anachronisme du tableau antérieur: de belles dames et des chevaliers du XVIe siècle assistent au banquet; sur la table, des mets exquis, et au fond, des colonnes et des éléments décoratifs de la Rennaissance.

N.º 378, *Le Chevalier à la Chaîne d'Or.* Toile du **Tintoret** que nous pouvons dater vers 1550, considérée comme un des meilleurs portraits de ce peintre, sur qui nous traiterons ensuite. On a supposé que c'est le portrait de **Paul le Véronèse.**

N.° 482, *Vénus et Adonis* (Pl. 5). Toile de **Véronèse,** peinte vers 1580, de délicates nuances grises argentées. Il fut acquis par **Vélasquez** pour Philippe IV.

N.° 372, *Portrait de Paris Bourdon,* peintre italien (1500-1570), peint par lui-même.

SALLE IX.—LE TITIEN (Suite.)

Nous sommes dans une des salles les plus somptueuses et les mieux présentées du Musée. Elle est consacrée au **Titien,** qui, sans être espagnol, jouit de la protection des rois Charles-Quint et Philippe II. Nous remarquons d'abord une collection de portraits représentant des personnages des familles royales, collection complète et unique au monde.

Nous trouvons en premier lieu le **n.° 415,** le *Portrait de l'Impératrice Isabelle de Portugal* (Pl. 6), œuvre fine et délicate, qui est d'une grande richesse de coloris et met en évidence les aptitudes du peintre pour le portrait.

N.° 419, *Offrande à la déesse des amours.* La statue de Vénus se dresse dans un verger plein de fleurs; une multitude de jeunes amours alliés jouent sur le gazon; leurs ébats sont aussi variés que les formes que prend l'amour, les passions qu'il inspire. Deux nymphes, dans l'attitude de suppliantes, viennent à ce rendez-vous; pour obtenir les bonnes grâces de la déesse, l'une lui offre un miroir, l'autre une tablette votive; au pied de la statue coule la source de la fécondité ou de la vie. Le sujet est tiré de *Cuadrod,* dont l'auteur est le sophiste Philostrate. Le tableau fut commandé par le Duc de Ferrara en 1518; **Rubens** en fit ensuite une copie légèrement remaniée.

Lucrecia di Baccio del Fede

«Noli me tangere»

La Dolorosa.—Our Lady of Dolours.—La Vierge des Douleurs.—Die Schmerzensreiche.—La Dolorosa

Jesús y el Centurión.—Jesus and the Centurion.—Jésus et le Centurion.
Jesus und der Centaurier.—Gesu ed il Centurione

Venus y Adonis

La Emperatriz Doña Isabel de Portugal.—The Empress Isabella of Portugal.—L'Impératrice Isabelle de Portugal.—Das Bildnis der Kaiserin Elisabeth von Portugal.—L'Imperatrice Isabella del Portogallo

Carlos V

Dánae

LÁM. 8

Venus recreándose en la música.—Venus enjoying in music.—Venus et les plaisirs de la musique. Venus mit dem Orgelspieler.—Venere mentre si ricrea con la musica

Moisés salvado de las aguas.—Moses saved from the Nile.—Moïse sauvé des eaux.—Die Auffindung Mosis.—Mosè salvato dalle acque

N.º 418 *TIZIANO (1477-1576)*

Bacanal.—Bacchanal.—Bacchanale.—Das Bacchanal.—Baccanale

LÁM. 9

Autorretrato.—Self-portrait.—Portrait par lui-même.—Selbstbildnis Autoritratto

Venus y Adonis

La purificación de las vírgenes madianitas.—Madianite virgins.—Les vierges madianites.—Die Madianitischen Jungfrauen.—La purificazione delle vergini madianite

El Caballero de la mano al pecho.—The gentleman with his hand at his chest.—Le geltilhomme de la main sur sa poitrine.—Der Edelmann mit der Hand auf der Brust.—Il Cavaliere dalla mano sul petto

La Coronación de la Virgen.—The Coronation of Our Lady.—Le Couronnement de la Vierge.—Die Krönung der Heligen Jungfrau.—L'Incoronazione della Madonna

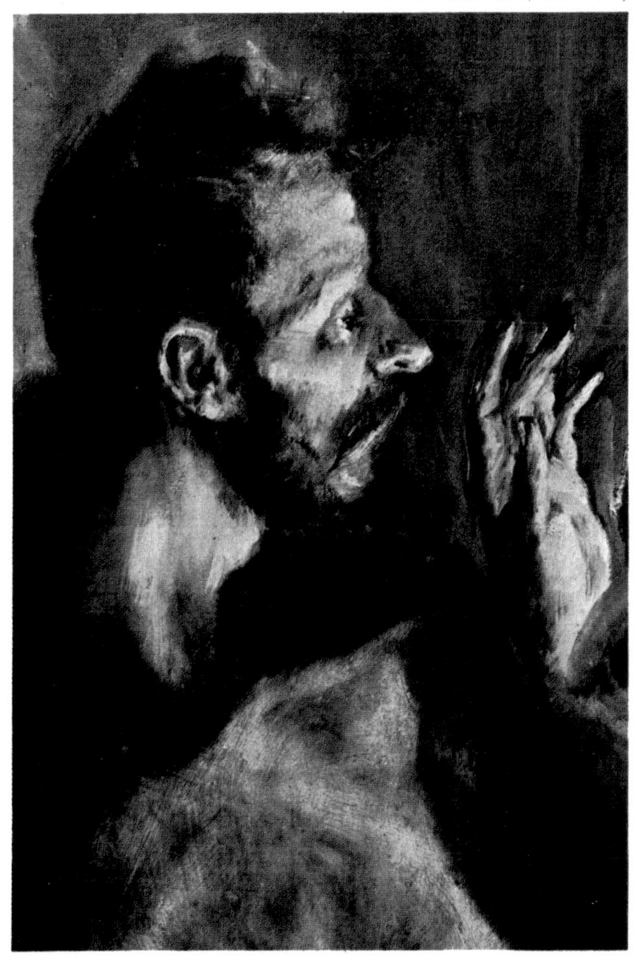

Adoración de los Pastores (detalle).—The Adoration of the Shepherds. L'Adoration des bergers.—Die Anbetung der Hirten.—L'Adorazione dei Pastori

Don Julián Romero con San Luis, Rey de Francia.—D. Julián Romero with St. Louis, King of France.—D. Julián Romero avec St. Louis, Roi de France.—Der Hauptmann Julián Romero und der Heilige Ludwig, König von Frankreich.—Don Julián Romero con S. Luigi, Re di Francia.

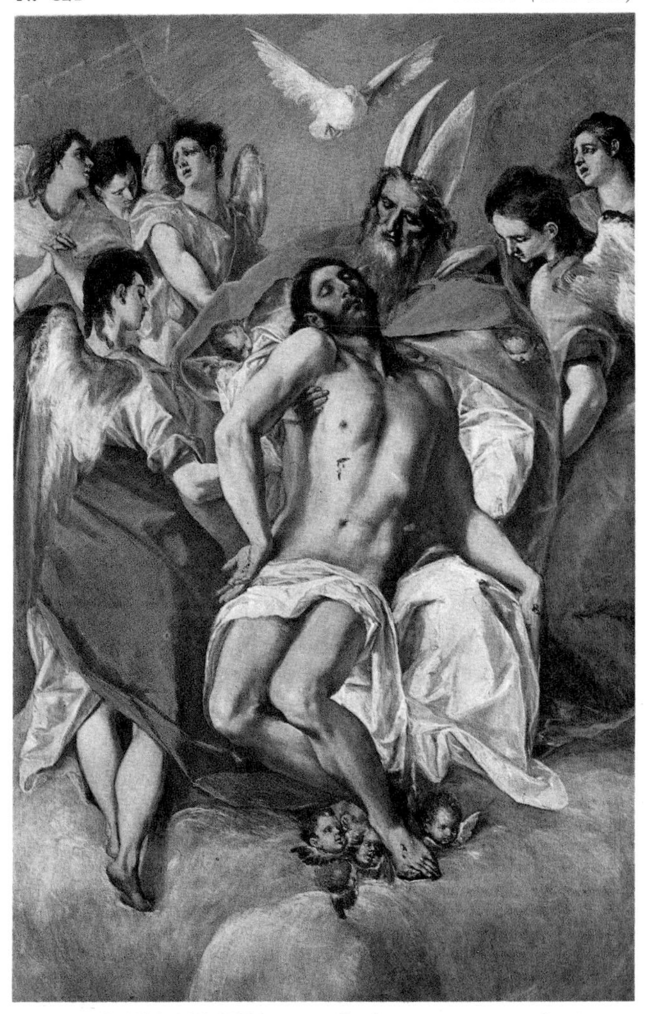

La Trinidad.—The Trinity.—La Trinité.—La Santissima Trinità

Cristo abrazado a la Cruz.—Christ embracing the Cross.—Le Christ avec la Croix.—Christus mit dem Kreuz.—Cristo abbracciato alla Croce

N.º 408, *Portrait de Frédéric de Gonzague, duc de Mantoue*, fait vers 1525, d'abord propriété du Marquis de Leganès, passa dans les Collections Royales, puis au Prado. C'est un tableau d'une qualité technique et d'une couleur insurpassables.

N.º 409, *L'Empereur Charles-Quint*. L'Empereur, à l'âge de 30 à 40 ans, avec son chien favori.

N.º 425, *Danaé recevant la pluie d'or* (Pl. 8). Jupiter, épris de la belle Danaé, se métamorphose en pluie d'or pour se présenter à elle. L'artiste a peint le nu à touches délicates, la déesse, dont le corps est supérieurement dessiné, est étendue sur un lit dans une position extatique tandis qu'elle reçoit la pluie fécondante du dieu. De ce tableau, que **Titien** peignit pour Philippe II, il existe une réplique au Musée de Naples, mais qui est moins belle.

N.º 410, *L'Empereur Charles-Quint à la bataille de Mühlberg* (Pl. 7), superbe portrait équestre, considéré par Frizzoni comme le premier du monde. Le corps de l'Empereur est couvert d'une armure qui se conserve à l'Armurerie Royale; à la main droite, il porte une lance. Au fond, on voit un paysage sur l'Elbe. La tableau représente le moment où le Monarque va lutter contre les protestants, à la célèbre bataille qui devait lui donner tant de souci. Ce tableau arriva en Espagne entre ceux qui appartenaient à Marie de Hongrie.

N.º 421, *Vénus et les plaisirs de l'amour et de la musique*, œuvre analogue à la **n.º 420** de la Salle VIII.

N.º 411, *Portrait de Philippe II*. Le roi, debout, est peint dans sa jeunesse avec le casque sur une table. C'est un portrait que le roi envoya à sa fiancée Marie d'Angleterre, qui ne connaissait pas l'époux qui lui était destinée.

N.º 428, *Salomé portant la tête de Saint Jean Bap-*

tiste. L'artiste nous offre ici un portrait de sa fille Livinia, d'une beauté exceptionelle, véritable type de la femme vénitienne et qui lui servit en maintes occasions de modèle. L'œuvre fut éxécutée vers 1550. Elle est bien supérieure à la réplique que l'on peut contempler à Berlin, où l'on voit la tête de Saint Jean Baptiste remplacée par des fleurs et des fruits. Les couleurs sont d'une somptueuse richesse et l'ensemble d'une vigueur exubérante.

N.º 418, *La bacchanale* (Pl. 9), où se fondent intimement le plaisir et la dignité. C'est une œuvre extraordinaire où l'on ne sait qu'admirer le plus, les groupes merveilleusement composés des personnages ou les prodiges de la couleur. Nus ou vêtus, les corps débordent de la vie toute exubérante de la Renaissance. A droite, au premier plan, la belle Ariane repose au bord d'un ruisseau de vin; étendus sur l'herbe un adolescent, deux bacchantes, des faunes et d'autres jeunes bacchantes. En haut, à droite, un faune endormi. Tous se détachent sur un paysage d'arrière-plan.

N.º 407, *Portrait par lui-même* (Pl. 10), où nous voyons le peintre dans ses dernières années, de profil avec sa barbe de septuagénaire mais l'expression est sereine et la personalité semble irradiante.

N.º 445, *Sainte Marguerite*, œuvre que l'on croit appartenir à la dernière époque du peintre.

N.º 440, *L'enterrement du Christ*. Œuvre commandée par Philippe II pour le Monastère Royal de l'Escorial, en 1559. Des versions ici conservées, celle-ci, véritable expression simple et artistique de la douleur humaine, nous semble la meilleure. Il existe une copie semblable au Musée du Louvre.

N.º 432, *La Gloire*, tableau de grandes dimensions qui demeura dans la chambre de Charles V jusqu'à sa mort. Après avoir été conservé à l'Escorial, il entra au Prado en 1837. Il semble qu'il ait été inspiré par la Trinité de **Dürer.**

N.º 422, *Vénus et Adonis* (Pl. 11), œuvre inspirée par l'*Ars Amandi*, d'Ovide. On voit la déesse, qui prévoit la mort d'Adonis, le tenir enlacé au moment où le jeune chasseur se prépare à partir en compagnie de ses chiens. Toile où nous admirons la figure apollonienne d'Adonis, qui fait contraste avec la grâce délicate et le buste finement modelé de la déesse.

N.º 429, Les figures, Adam et Ève intégralement représentés, sont peut-être inspirées de **Dürer.** Il faut noter dans cette œuvre tardive les tons chauds de la couleur et la perfection des nus.

Aux angles de la salle, à un côté et à l'autre, sont les statues de Philippe II et de Marie de Hongrie, sœur de Charles-Quint, sculptures en bronze, œuvre des artistes italiens **Leone** et **Pompeo Leoni,** père et fils.

SALLE IX A.—TINTORETTO

Jacobo Robusti, plus communément connu sous le nom de **Tintoretto** (1518?-1594), appartient, lui aussi, à l'école vénitienne. C'est un peintre naturaliste qui avait écrit sur les murs de son atelier cette règle: «le dessin de Michel Ange et la couleur du Titien». **Tintoretto** donne à la peinture historique une grande passion et force dramatique; c'est un peintre dynamique, d'une fantaisie puissante que traduit le mouvement impétueux de ses personnages. Artiste fougueux qui compose vite et facilement, et dont la technique est large et audacieuse. Il semble étouffé par son culte excessif de la couleur et sa palette froidement audacieuse est pleine de couleurs largement étendues. Le Prado nous offre de ce peintre quelques grandes compositions et portraits.

En premier lieu, **n.º 2824,** *Le lavement des pieds*, acheté par Philippe IV à la vente des biens de Charles I.er **Vélasquez** l'apporta à l'Escorial en 1656. C'est une grande toile de forme oblongue, remarquable par la composition et la distribution des personnages; au fond, un canal avec des éléments architectoniques vénitiens. Nous remarquons déjà l'audace de sa couleur. Le père Santos disait en 1657 de ce tableau: «Il est difficile de croire que l'on se trouve devant une peinture, et si puissante est la couleur, si habile la perspective que l'on croit pouvoir entrer, marcher sur les dallages et qu'entre les personnages circulent les souffles de l'air.»

N.º 391, *Judith et Holopheres.* L'héroïne couvre avec un voile le corps décapité de Holopheres, tandis que sa servante cache dans un sac la tête coupée.

N.º 398, *Le Paradis.* Chœurs de bienheureux qui représentent la Gloire, et en dessous, le Monde. Toile acquise par **Velasquez** lors de son second voyage en Italie.

N.º 394, *Visite de la Reine de Saba à Salomon.*

N.º 382, *La femme au sein découvert.* Très beau portrait, aux tonalités claires et dont le modèle fut, soit la fille du peintre, soit la courtisane Veronica Franco.

N.º 388, *Esther devant Assuérus.*

N.º 399, *Bataille entre les turcs et les chrétiens*, œuvre de moindre qualité artistique; **n.º 367,** *Pierre de Médicis;* **n.º 390,** *Mort de Holopheres;* **n.º 369,** *L'Archevêque Pierre;* **n.º 371,** *Un sénateur vénitien*, et **n.º 387,** *La Prospérité faisant fuir les maux*, toile attribuée à **Domenico Tintoretto** (1560-1635).

N.º 393, *La purification du butin des vierges madianites* (Pl. 12). Datée vers 1570, cette œuvre résume les caractéristiques du peintre, son audace dans le dessin, et la couleur avec une prédominance des teintes grises. Le tableau se trouvait placé au centre d'un plafond entre six autres représentant des scènes des Écritures Saintes, toutes achetées par **Vélasquez** à Vénise, que nous voyons distribuées dans cette salle.

N.º 386, *Suzanne et les vieillards;* **n.º 389,** *Judith et Holopheres;* **n.º 395,** *Joseph et la femme de Putiphar,* et **n.º 396,** *Moïse sortant du Nil.*

N.º 397, *Le Baptême du Christ,* tableau peint antérieurement à celui que l'on trouve à l'église de Saint-Sylvestre à Vénise, qui traite le même thème et qui lui est inférieur.

N.º 377, *Portrait d'un personnage inconnu.*

SALLE X A.—LES BASSANO

Les **Bassano** sont une dynastie familiale de peintres dont le nom est **Da Ponte,** nés à Bassano. Ils appartiennent à l'école vénitienne, et sont: **Francesco «le Vieux»** (XVᵉ siècle), **Giacomo** ou **Jacques,** fils de **Francesco** (1515-1592), et **Francesco «le Jeune»** (1549-1592) et **Leandro** (1557-1622), tous deux fils de **Giacomo.** Dans cette salle nous voyons plusieurs de ses tableaux, très intéressants comme transition à la peinture du **Greco.**

Le plus remarquable de cette famille est **Giacomo,** spécialisé aux thèmes bibliques. Il combine bien les couleurs, se montrant soucieux du problème de la lumière. Il est l'auteur des tableaux suivants: **N.º 25,** *L'Adoration des bergers;* **n.º 21,** *Les reproches de Dieu à Adam;* **n.º 22,** *L'entrée des animaux dans l'Arche de Noé;* **n.º 32,** *Portrait, peint par lui-même,* et **n.º 26,** *L'Adoration des bergers,* sujet répété.

De son fils **Leandro** nous avons les œuvres suivantes: **N.º 41,** *Le Couronnement d'épines;* **n.º 39,** *Le retour* *de l'enfant prodigue;* **n.º 29,** *Le riche avare et le pauvre Lazare,* et **n.º 45,** *Magistrat ou clerc avec un crucifix.*

Nous voyons aussi d'autres peintres, les portraits suivants: **N.º 366,** *Un général vénitien;* **n.º 379,** *Sénateur vénitien,* et **n.º 384,** *Marietta Robusti, «la Tintoretta»,* fille du peintre, tous les trois du **Tintoretto.**

Enfin, le **n.º 380,** *Sénateur vénitien,* peint par **Palma «le Jeune»,** parent de **Palma «le Vieux»** (1544-1628).

Ayant terminé la visite à cette salle, nous passons aux numéros X, XI et XXX, salles consécutives, pour admirer la série de tableaux que le Musée possède du **Greco.** Pour amplifier la connaissance de son œuvre géniale, il convient de faire, en outre, une visite à Tolède.

SALLE X.—LE GRECO

Domenicos Theotocopoulos ou **Theotocopuli,** surnommé en Espagne **Le Greco,** naquit à Candie en 1541, et mourut à Tolède en 1614..Nous savons qu'il étudie la peinture à Venise auprès du **Titien,** et qu'il assimila les meilleurs enseignements de l'école du **Tintoretto.** Soit qu'il eût quelque commande pour la Cathédrale de Tolède, soit qu'il fut attiré par Philippe II, grand protecteur des arts, nous le voyons en Espagne vers 1577, où Philippe II lui commande le tableau de *Saint Maurice et la Légion thébaine,* pour un des autels de l'église du Monastère de l'Escorial. Mais Philippe II n'entendit rien à la peinture du **Greco;** il était accoutumé à la composition équilibrée des peintres italiens et les espagnols **Navarrete** et **Pantoja de la Cruz.** Pourtant, le **Greco** se rend à Tolède où désormais sa vie va se dérouler et son œuvre se réaliser. Il y trouve le climat propice à son inspiration. Tout à la fois influencé par l'esprit passionnément mystique de l'Espagne d'alors et par sa vie spirituelle, il peint une œuvre prodigieusement féconde.

Dans ses premiers tableaux on note l'influence vénitienne. La couleur est riche, le dessin à cette date parfait, mais l'originalité de son tempérament, sa technique, le conduisent rapidement à recherder des solutions qui lui soient personelles. Fatigué de la peinture italienne, de ses redites et de son maniérisme, de la régularité de ses dessins, de l'éclat brutal de ses couleurs, il nous offre l'exemple d'une personnalité vigoureuse.

Il concentre et simplifie la composition, il se désintéresse de la beauté formelle et du dessin pour nous présenter une technique hardie et synthétique. Il cherche les effets de lumières. Voulant anxieusement exprimer le mouvement, il allonge ses personnages, disloque les membres, distend les corps jusqu'au paroxysme. C'est l'époque où le **Greco** a rencontré le mysticisme, plus exactement où le mysticisme a rencontré le **Greco.**

Dès lors il veut épurer plus encore sa peinture; les visages de ses personnages deviennent le fidèle reflet de la vie de l'âme; ils sont comme concentrés sur eux-mêmes. Cette vie intérieure a l'amertume des temps qui ne reviendront plus et appelle un monde supérieur. Son coup de pinceau est hâtif; le noir, le vermillon, l'ocre et le blanc sont les couleurs essentielles de sa palette, mais avec des teintes grisâtres qui sont caractéristiques de son œuvre. Tout cela donne une grande personalité aux tableaux du **Greco.**

On a émis quelques hypothèses absurdes concernant ce grand artiste. Les uns croyaient qu'il était fou, les autres qu'il avait un défaut de la vue; mais nous pouvons affirmer avant tout qu'il fut le grand peintre des âmes, le peintre mystique. **Le Greco** est en peinture ce qu'est Sainte Thérèse dans le domaine littéraire.

Il eut des disciples sans avoir créé une école, car le plan sur lequel il se meut ne peut être atteint que par des artistes exceptionnels.

N.os 813 et **810,** *Portrait d'un chevalier inconnu;* **n.o 827,** *L'Annonciation*, beau petit tableau considéré de la première époque du peintre; **n.o 812,** *Le Licencié Jerôme de Cévallos*, peint, peut-être, en 1608; **n.o 2644,** *Un frère dominicain ou trinitaire*, que l'on a cru tout d'abord le peintre **Maino,** classifié comme appartenant à sa dernière époque; **n.o 811,** *Jeune chevalier*.

De chaque coté, deux figures en buste, de saints: **N.os 815** et **817,** *Saint Antoine de Padoue* et *Saint Benoît*.

N.o 2445, *Le Capitaine Julien Romero avec Saint Louis Roi de France* (Pl. 16).

Nous voyons ensuite une série de portraits parfaits: **n.o 807,** *Le médecin Dr. De la Fuente;* **n.o 806,** *Un chevalier inconnu;* **n.o 809,** *Le chevalier à la main posée sur la poitrine* (Pl. 13), provient de la maison de campagne du Duc d'Arco, que certains identifient avec D. Juan de Silva, Marquis de Montemayor et Notaire de Tolède.

N.o 808, *Don Rodrigo Vasquez, président des Conseils de Finance de Castille.*

SALLE XI.—LE GRECO (Suite.)

N.o 2890, *Saint Jacques*, qui forme partie d'une collection incomplète des images des douze apôtres, dont nous pouvons voir les autres tableaux que possède le Musée, dans cette salle.

N.o 822, *Le Christ embrassant la Croix* (Pl. VI). Re-

San Juan Evangelista.—St. John Evangelist.—St. Jean Evangeliste.—Der Evangelist Johannes.—S. Giovanni Evangelista

La Sagrada Familia.—The Holy Family.—La Sainte Famille.—Die heilige Familie.—La Sacra Famiglia

marquez l'émouvante expression de la figure de Jésus; sujet qu'il répète avec quelques variantes; il est signé et provient du Musée de la Sainte-Trinité.

N.º 2892, *Saint Paul,* tableau qu'avec le **n.º 2891,** *Saint Thomas,* et le **n.º 2444,** *Saint Jean Évangéliste* (Pl. VII) faisaient partie de l'apostolat déjà mentionné.

Sans numéro, *Saint Sébastien,* tableau entré au Musée en 1959.

N.º 814, *Saint Paul.* Figure de plus de mi-corps, un livre à la main.

N.º 826, *La Sainte Famille* (Pl. VIII). La Vierge embrasse Sainte Anne, laquelle contemple l'Enfant. Au fond, Saint Joseph et, à côté, Saint Jean, enfant, avec une corbeille de fruits.

N.º 2889, *Le Sauveur* (Pl. IX). Tableau qu'appartenait au dit apostolat.

N.º 829, *La Vierge Marie;* **n.º 820,** *Saint Jean et Saint François.*

N.º 2645, *Le Couronnement de la Vierge* (Pl. 14). Œuvre de la seconde époque du peintre, thème qu'il répète jusqu'à quatre fois.

N.º 2874, *La Sainte Face.* Toile représentant le linge de Sainte Véronique avec les traits du Sauveur.

SALLE XXX.—LE GRECO (Suite.)

N.º 823, *La Crucifixion,* Christ mort dans la croix. Au pied de celle-ci, la Vierge, Saint Jean et, à genoux, la Madeleine avec un ange. Thème que le peintre répéta plusieurs fois.

N.º 828, *La Pentecôte.* La Vierge est entourée des Apôtres. Sur leurs têtes brillent des langues de feu. En haut, le Saint-Esprit en forme de colombe.

N.º 825, *La Réssurrection.* Christ, une bannière à

la main, s'élève au ciel en présence des soldats épouvantés. L'un d'eux est dormant.

Présidant la salle est le **n.º 824,** *La Sainte Trinité* (Pl. V), toile qui date des environs de 1577. Elle provient du couvent de Saint-Dominique l'Ancien (Tolède); c'est une des premières œuvres exécutées par l'artiste à son arrivée en Espagne; elle appartient à la première manière du **Greco.** Dessin et couleurs rappellent les maîtres de la peinture italienne, et plus particulièrement le **Titien.**

N.º 2988, *L'Adoration des bergers* (Pl. 15 et X), œuvre acquise par le Musée récemment, magnifique de lumière et de couleur, où nous observons particulièrement les fins caractères de la spiritualité du **Greco,** elle est considérée comme œuvre de sa dernière époque. Il s'agit d'un tableau merveilleusement restauré, qui occupait autrefois l'atique du maître, autel de Saint-Dominique l'Ancien, de Tolède, d'ou il provient.

N.º 819, *Saint François d'Assise.* Le Saint, à genoux, médite avec une tête de mort dans ses mains.

N.º 2819, *Saint André et Saint François.* Tous deux avec leurs symboles. Le premier avec la croix où il fut martyrisé et le second avec ses stigmates.

Traversant la porte immédiate, nous sortons à la Grande Galerie de la peinture espagnole, et, par la première porte à gauche, nous entrons à la

N.º 821, *Le Baptême du Christ.* Jésus, son genou apuyé sur une roche, reçoit le baptême de Saint Jean en présence des anges. Dans la partie supérieure, le Père éternel et le Saint-Esprit en forme de colombe.

SALLE XII.—VÉLASQUEZ

Vélasquez est le plus grand peintre de tous les temps et, avec **Goya,** les deux mieux représentés au

Musée du Prado. **Diego Velasquez de Silva,** d'origine sévillanne, et qui vécut de 1599 à 1660, est un artiste parfait, un observateur serein de la réalité, un adversaire des fantaisies et des exubérances baroques. Son œuvre, d'une technique prodigieuse, est marquée par le sens des volumes et du sentiment des choses. Dès ses débuts, il peint avec naturel sans laisser voir l'influence de ses maîtres. C'est avant tout un artiste éminemment doué, dont la personnalité se montre immédiatement originale et puissante. Il veut peindre la réalité telle qu'il la voit et non des idées. Réalité et vérité sont la règle de son art au point que ses tableaux apparaisent comme des fenêtres où nous nous penchons pour contempler la vérité de ses sujets.

Il naît à Séville en 1599, il étudie dans l'atelier de **Pacheco,** dont il épouse plus tard la fille. Il vient à Madrid, et, recommandé par son beau-père, est protégé par son compatriote le Duc d'Olivarès, qui l'introduit au Palais.

Philippe IV le nomme peintre de sa chambre et dès lors, choyé par les rois et les princes, **Vélasquez** connaît une vie large et ignore les misères et les infortunes de tant d'autres artistes. Il va deux fois en Italie et sa longue carrière artistique gravite autour des rois.

Peintre des rois, il est bientôt le roi des peintres. Son art serein et profond est toujours tendu vers la recherche de la réalité objective; les notes sombres de ses couleurs vont en s'éclaircissant jusqu'à ses tonalités grises-argentées si caractéristiques, où ces gris «Vélasquez». Il étudie avec prédilection les effets de la lumière normales sur les choses et arrive à saisir de telles nuances que l'on peut dire qu'il peint la lumière.

Nous allons voir brièvement l'évolution de ce grand artiste, à travers une série d'œuvres et de portraits très importants.

Commençant la visite du côté droit, en entrant dans cette salle magnifique, nous trouvons le portrait **n.º 1188,** de *L'Infant Don Carlos*, frère de Philippe IV, un gant suspendu de son délot. Il fut peint vers 1626-1627.

N.º 1171, *La forge de Vulcain* (Pl. 17), de 1630, que **Vélasquez** peignit au cours de son voyage en Italie. Le sujet mythologique ne semble pas avoir interessé vivement l'artiste. C'est au fond une étude du nu masculin, de l'expression des visages et des problèmes que pose la lumière, comme nous le montre l'arrière-plan du tableau.

N.º 1182, *Philippe IV*. C'est, peut-être, le premier portrait de figure entière que **Vélasquez** fit au Roi, en 1628, environ.

N.º 1170, *Les ivrognes ou le triomphe de Bacchus* (Pl. XI). Cette toile appartient à la première époque de **Vélasquez.** Les problèmes que pose la perspective et qu'il résoudra pleinement dans les tableaux postériurs commencent à le prèocuper. Le tableau date de 1628 et fut ensuite légèrement modifié. Le peintre nous montre un groupe de villageois quelque peu lourdauds qui se livrent aux plaisirs du vin et se couronnent de feuilles de vigne. Sur les visages, vigoureusement peints, on note les effets de l'ivresse.

N.º 1181, *Don Gaspar de Guzmàn, Comte-Duc d'Olivarès* (Pl. 18). Portrait inspiré de l'école de **Rubens,** oú est représenté cet homme politique borné et vaniteux faisant étalage de ses qualités de valeureux militaire.

N.º 1178, un portrait équestre de *Philippe IV*, grande toile peinte avec ces gris et des ocres dégradés et dont il faut signaler le cheval, l'un des meilleurs qui aient été représentés par **Vélasquez.**

N.º 1208, *Le dieu Mars.* Œuvre d'atelier, d'un médiocre intérêt.

N.º 1185, *Philippe IV.* Buste considéré comme le meilleur que l'on ait fait du roi; il appartient à la dernière époque de **Vélasquez;** la physionomie de ce monarque est caractéristique, avec ses traits flegmatiques, sa mâchoire proéminente.

N.º 1183, *Philippe IV,* portrait de buste, fragment d'une toile plus grande.

N.º 1198, *Pablo de Valladolid* (Pl. 19), bouffon du Palais.

N.º 1180, *Le Prince Balthazar Charles* (Pl. XII), fils de Philippe IV, héritier du trône qui mourut tout enfant, mort qui laissa le peuple de Madrid consterné. C'est un portrait équestre, plein de finesse, où nous voyons le délicieux enfant caracolant sur un fringant poulain.

N.º 1200, *Le bouffon appelé Don Juan d'Autriche.*

N.º 1172, *La reddition de Bréda* (Pl. 20), tableau historique, l'un des meilleurs dans le genre que possède la peinture espagnole et plus connu sous le nom de *Les Lances.* Il représente le moment où le général Ambrosio de Spinola reçoit les clefs de la ville de Bréda des mains de Justin de Nassau après le long siège que soutint la place. Il était destiné à décorer le salon du royaume du Palais du Retiro, ou étaient aussi les tableaux que nous trouvons dans la Salle I (rotonde à l'entrée). Il fut peint en 1635, et nous pouvons le considérer comme l'un des plus achevés qui soit sorti du pinceau de **Vélasquez.** La couleur qu'employait **Vélasquez** dans ses débuts a changé, elle est devenu plus fluide, les tonalités sont plus fines et laissent apparaître des transparences grises.

N.º 1186, *Le Cardinal Infant Don Ferdinand d'Autriche* (Pl. 21), jeune frère de Philippe IV, en costume de chasse, avec un chien.

N.° 1191, *La Reine Marianne d'Autriche* (Pl. 22), nièce et seconde épouse de Philippe IV, à dix-neuf ans.

N.° 1184, *Philippe IV, en costume de chasse, avec son chien favori.*

N.° 1193, *Don Juan Francisco Pimentel, X Comte de Benavente* (Pl. 23), portrait en buste, est considéré pour le dessin et la couleur comme l'un des plus remarquables de **Vélasquez.** Il rappelle **Titien** par la richesse du coloris.

N.° 1189, *Le prince Don Balthazar Charles, enfant* (Pl. 24), en costume de chasse, avec son arquebuse et deux chiens; un prodige de charme enfantin. A remarquer les admirables fonds gris-bleuâtres des paysages du Pardo et des montagnes du Guadarrama.

N.° 1194, *Juan Martínez Montañés* (Pl. 25), sculpteur. On a cru autrefois qu'il s'agissait d'Alonso Cano. Le tableau ne fut pas fini.

N.° 1173, *Les Filandières ou Fable d'Aragne* (Pl. 26), représente l'atelier de réparation des tapisseries que les rois avaient créé pour leur service dans la rue de Sainte-Isabelle et que peut-être fréquentait **Vélasquez.** Ce n'est pas tant le sujet, mais la lumière et son reflet sur les visages qui enthousiasma **Vélasquez;** les unes reçoivent la lumière directement, les autres demeurent dans la pénombre et sont seulement esquissées. Celle qui est présentée de dos et courbée comme si elle recherchait quelque chose sur le sol, est à peine visible. Tout dans ce tableau est soumis à la lumière, mais à une lumière normale qui détermine la couleur. La toile d'un fort réalisme, est peinte à grands coups de pinceau qui donnent à distance l'impression de personnages. Nous pouvons considérer cette œuvre comme étant de la même veine que *Les Ménines* que nous verrons dans la Salle XV. Elle fut peinte en 1657 et provient des Collections Royales.

N.º 889, *Vue de la ville de Saragosse*, œovre qu'il réalise en collaboration avec son beau-fils **Juan Bautista Martínez del Mazo.**

N.º 1192, *L'Infante Marguerite* (Pl. XIII). Portrait qui appartient à la dernière époque; il fut achevé par son disciple **Mazo.** On y trouve toutes les caractéristiques de l'art de **Vélasquez,** les combinaisons des rouges et des argents, les blancs somptueux et les tons dorés.

N.º 1206, *Esope* (Pl. 27), et **n.º 1207,** *Ménippe*, interprétation burlesque du célèbre fabuliste et du philosophe cynique, datés vers 1640.

N.º 1175, *Mercure et Argos.* C'est un sujet mythologique, peint vers 1659, pour décorer le salon des glaces de l'Alcazar de Madrid avec deux autres qui furent détruits au cours de l'incendie du Palais en 1734.

Enfin, le **n.º 1199,** portrait du bouffon *Barberouge*, D. Cristóbal de Castañeda y Pernia, ainsi surnommé à cause de ses costumes de style turc. Il fut peint en 1636, et ne fut pas terminé.

SALLE XIII.—VÉLASQUEZ (Suite.)

Au centre de la salle nous voyons le célèbre *Christ Crucifié*, **n.º 1167,** exécuté vers 1632, que le roi avait commandé pour le couvent des réligieuses de Saint-Placide. Il passa en diverses mains avant de devenir la propriété de Ferdinand VII, qui l'envoya au Musée en 1829. Il représente le Seigneur sur la Croix, dont nous distinguons à peine les contours. Jésus est représenté nu, la tête inclinée, il est mort et les cheveux recouvrent presqu'entièrement sa tête. Le modelé du corps est parfait; on note seulement quelques taches de carmin. L'ensemble est d'une sérénité et d'une beauté isurpassables, d'un sentiment religieux à la fois sobre et sévère sans éxagération ni faux pathétime. C'est la mort sereine et majestueuse du Christ, l'un des grands chefs d'œuvre qui sortit de la palette de **Vélasquez.**

A droite et à gauche, les **n.os 1220** et **1222,** l'un représentant *Philippe IV en prière*, et l'autre, son épouse *Marianne d'Autriche*, dans la même attitude. Ces deux tableaux étaient réunis et décoraient sans doute une salle du Palais; ils sont d'un artiste inconnu, élève de **Vélasquez.**

N.o 1223, *Don Louis de Góngora y Argote*, le grand poète de Cordoue, copie dont l'original se trouve à Boston.

N.o 2873, *La Vénérable Mère Jérôme de la Fuente*, portrait qui vient du couvent de Sainte-Isabelle de Tolède, et dont il existe une réplique dans une collection particulière de Madrid; œuvre très intéressante par le dessin et la couleur, elle appartient à la première manière du peintre, ainsi que le portrait moitié-buste que nous voyons ensuite: celui de *Francisco Pacheco,* **(n.o 1209),** maître et beau-père de **Vélasquez.**

N.o 1166, *L'Adoration des Rois Mages* (Pl. XIV) date aussi de la première époque du peintre, de 1619. Presque tous les personnages que nous contemplons ici sont des portraits d'après nature. On a voulu voir dans la Vierge l'épouse du peintre, dans le Roi maure. **Vélasquez** lui-même,et son beau-père dans le roi d'un âge avancé. C'est une œuvre pleine de dignité, où l'on note encore quelques influences «ténébristes», la représentation de personnages vivants et la dureté du dessin. La scène révèle un sentiment religieux profond, d'une dignité et d'une simplicité incomparables, et l'enfant Jésus sur le sein de la Vierge est une figure pleine de charme.

N.o 1224, *Portrait de lui-même* (?), peint vers 1623.

El Salvador.—The Saviour.—Le Sauveur.—Der Heiland.—Il Salvatore

La Adoración de los pastores.—Adoration of the shepherds.—L'Adoration des bergers.—Anbetung der Hirten.—L'Adorazione dei Pastori

N.os 1195 et **1196,** Portraits de *Don Diego de Corral y Arellano,* auditeur du *Conseil Suprême de Castille,* et de son épouse, *Doña Antonia de Ipeñarrieta y Galdós, avec son fils Louis,* datés de 1631; tous deux fort intéressants et parfaits, que nous pouvons classifier comme de la première époque du peintre, donnés par la Marquise de Villahermosa.

N.o 2903, *Le Christ sur la Croix,* signé en 1631, peint avec des nuances grises, d'une tecnique semblable à celle de *La forge de Vulcain.*

N.o 1217, *Paysage avec un temple,* et **n.o 1216,** *L'Alcazar de Madrid vu dès le Jardin de la Priora,* tous deux de **J. B. del Mazo.**

SALLE XIV.—VÉLASQUEZ (Suite.)

N.o 1179, *La Reine Isabelle de France,* femme de Philippe IV. Portrait équestre qui fut placé au Salon de Royaume du Buen Retiro.

Quatre portraits de bouffons, parfaits tous les quatre, sur une ligne réaliste: **n.o 1201,** *«El Primo»;* **n.o 1202,** *«Don Sébastien de Morra»;* **n.o 1204,** *«El Niño de Vallecas»,* dont le nom était Francisco Lezcano, et le **n.o 1205,** *Le bouffon «Calabacillas»* (Pl. 28), ou Don Juan Calabazas, connu à tort sous le nom de *«L'idiot de Coria».*

N.o 1212, *L'Arc de Titus, à Rome,* attribué à **Vélasquez,** sous réserves.

N.o 1187, *Marie d'Autriche,* reine de Hongrie, sœur de Philippe IV, à la main de laquelle aspira Charles I d'Angleterre quand il était Prince de Galles.

N.o 1197, *Madame Jeanne de Pacheco,* épouse de **Vélasquez.**

N.os 1210 et **1211,** deux paysages, *Vue du jardin de la Villa Médicis,* sont deux très belles peintures de style impressioniste; ils furent peints durant le séjour que **Vélasquez** fit à Rome.

N.º 1169, *Saint Antoine Abbé* et *Saint Paul Ermite.* Ils remercient Dieu qui envoie un corbeau pour leur donner du pain. A l'arrière-plan un paysage où l'on voit la rencontre de Saint Antoine avec un faune, le même Saint Antoine devant le cadavre de Saint Paul pendant que deux lions creusent la fosse. La toile est sans doute de 1634; elle devait décorer l'ermitage de Saint-Paul dans le Buen Retiro.

N.º 1215, *Étang du Buen Retiro,* de **Martínez del Mazo** (1612-1667), beau-fils de **Vélasquez** et un de ses meilleurs disciples; bon peintre, qui suit sa technique et son style. Il est un paysagiste excellent, et encore plus remarquable comme auteur de portraits superbes, qui ne déméritent pas à côté de ceux de son maître, et qui, parfois, se confondent avec ceux-ci.

SALLE XIV A.—VÉLASQUEZ (Suite.)

Dans cette petite salle de passage, à gauche, nous voyons le **n.º 1203,** *Bouffon Don Antonio «l'Anglais».*

N.º 1168, *Le Couronnement de la Vierge* (Pl. 29), tableau à influence italienne, où on admire le noble visage de la Vierge, beau et parfait, et les têtes des séraphins, comparables à ceux de **Murillo.** Il fut peint pour l'oratoire de la Reine au Palais Royal de Madrid.

N.º 1219, *Philippe IV,* armé, avec un lion à ses pieds, œuvre classifiée comme appartenant à l'atelier de **Vélasquez.**

Sans numéro, *Le Prince Balthazar Charles,* œuvre, aussi, de l'atelier de **Vélasquez.**

SALLE XV.—VÉLASQUEZ, LES MÉNINES

Nous sommes dans le salon des Infantes ou des Ménines, **n.º 1124** (Pl.30). L'Infante Marguerite joue au milieu de sa cour de jeunes demoiselles, et de nains, avec son chien favori et en présence d'une gouvernante et d'un chevalier qui bavardent entre eux. **Vélasquez** devant une toile que l'on voit à l'envers peint les rois que se réflètent dans un miroir encadré de noir placé sur le mur du fond. Par une porte entr'ouverte, éclairée par la lumière venant d'une autre pièce, on voit traverser un chevalier. L'espace et la lumière sont en réalité les sujets de ce tableau le plus extraordinaire que produisit **Vélasquez.** C'est la lumière qui assigne à chacun des personnages son véritable rôle sur cette toile; plus intense quand il s'agit des personnages du premier plan, plus douce pour les autres, les estompant peu à peu et doucement jusqu'à les plonger presque dans la pénombre, comme nous le voyons pour ceux qui se trouvent dans le coin le plus obscur de la pièce. La couleur est d'une précision extrême et les tonalités en relation exacte avec la lumière qu'elles reçoivent. La contemplation de cette œuvre nous apporte un tel sentiment de la réalité qu'elle nous invite presque à pénétrer dans la toile pour participer à la scène. Ce tableau prodigieux, un des sommets du Musée, a été qualifié de «Théologie de la peinture». Il ne faut pas s'étonner si, quand il le vit, **Théophile Gautier** s'écria: «Où est le tableau?» Tant la scène semble vivante, et plus encore si nous la regardons à travers le miroir qui se trouve dans un angle de la salle.

SALLE VI.—RUBENS

Pierre Paul Rubens, né à Siegen, en Westphalie, en 1577 et mort en 1640, est la figure la plus caractéristique de l'art flamand. Contemporain de **Vélasquez,** il résume toute la peinture flamande que nous allons dès lors contempler. Le génie de **Rubens** créa une multitude d'œuvres que nous trouvons dans ces salles jointes à celles de ses élèves et de ses imitateurs; quelques unes sont le fruit d'un travail de collaboration où il est difficile de délimiter la part du maître et celle du disciple. **Rubens** vint en Espagne en 1628 pour réaliser des commandes faites par Philippe IV, et il créa ici des œuvres importantes pour décorer les salles royales, en telle variété et quantité, qu'il n'y a aucun pays qui avantage à la collection de ses œuvres du Musée du Prado.

Rubens, formé par un séjour de huit années en Italie, est plein d'un réalisme exubérant, souvent violent, d'une allégresse qu'il traduit par de larges touches de couleurs. Il aime traiter des thèmes mythologiques; son naturel païen s'y épanouit, ainsi que sa couleur dorée et ses nus merveilleux, qu'il introduit chaque fois qu'il peut au milieu de décors pompeux et luxueux. Après **Titien,** c'est le meilleur créateur de scénes mythologiques; il faut aussi voir en lui le peintre d'inspiration religieuse au service de la contreréforme triomphante. Il vint en Espagne en deux occasions: en 1603 et en 1628.

Distribués dans cette salle, nous voyons les tableaux **n.os** du **1646** au **1653,** qui font partie d'un apostolat incomplet, où figurent les saints en buste, et qui fut placé au Palais Royal d'Aranjuez.

N.o 1686, *Philippe II à cheval*, peint à Madrid en 1628.

N.º 1639, *La Sainte Famille, avec Sainte Anne,* toile peinte en 1626, est d'un réalisme baroque et représente une scéne plus humaine que divine. Il a donné à la Vierge les traits de sa première femme, Isabelle Brant. Il provient de l'Escorial, qu'il quitta en 1839 pour le Musée du Prado.

N.º 1638, *L' Adoration des Mages.* Toile peinte par **Rubens** en 1609 pour la municipalité d'Anvers. Son bourgmestre en fit cadeau à Don Rodrigo Calderón, et Philippe IV l'acquit dans la vente aux enchères de ses biens après son exécution. Toile de grandes dimensions où l'on apprécie les caractéristiques essentielles de l'art de **Rubens.** son faste, son coloris, son dessin.

N.º 1643, *La cène d'Emmaüs,* tableau peint vers 1638.

N.º 1687, *Portrait équestre de l'Infant Don Fernando d'Autriche, à la bataille de Nordlingen,* avec une inscription en latin, où sont racontés les incidents de la bataille.

N.º 1642, *La Piété,* œuvre de grande qualité, qui présente une étude parfaite du corps de Jésus; elle provient du Monastère de l'Escorial.

N.º 1644, *Lutte de Saint Georges contre le dragon,* tableau provenant de l'héritage de **Rubens.**

Nous voyons enfin le **n.º 1692,** *Adam et Eve,* copie libre du **Titien** faite par **Rubens** lors de son séjour en Espagne.

SALLE XVI A.—VAN DYCK

Anton van Dyck, né à Anvers, en 1599, mourut à Londres, en 1641. Disciple de **Rubens,** artiste excellent, extraordinairement remarquable dans l'art du portrait, il fut de même un bon peintre de sujets religieux.

N.º 1482, *Frédéric Henri de Nassau, prince d'Orange.*

N.º 1471, *Le Couronnement d'épines,* qui nous rappelle l'*Ecce* du **Titien.**

N.º 1485, portrait d'*Inconnue;* **n.º 1479,** *Le peintre Martin Rickaert,* manchot de la main gauche; **n.º 1490,** *Le musicien Henri Liberti;* **n.º 1477,** *L'arrestation du Crist,* qui appartient à la première époque et qu'il exécuta pour son maître et ami **Rubens,** qui considérait cette toile comme d'un grand prix; Philippe IV l'acheta à la mort de **Rubens** et elle vint enrichir les Collections Royales, puis passa au Prado.

N.º 1481, *Diane Cecil, comtesse d'Oxford;* il provient de la maison du Duc de l'Arco.

N.º 1487, *Le musicien Jacques Gaultier ?;* **n.º 1478,** *Saint François d'Assise;* **n.º 1637,** *Le serpent de métal,* qui a éte attribué par quelques uns à **Rubens; n.º 1840,** *Le Cardinal-Infant Ferdinand d'Autriche;* **n.º 1484,** *Charles d'Angleterre* à cheval, armé; ce monarque vint à Madrid en 1623, quand il était Prince de Galles.

N.º 1486, *La Comte de Bergh;* **n.º 1492,** *Diane et Endymion surpris par un satyre,* peint vers 1626.

N.ºs 1491 et **1694,** études de tête de vieillard, où on observe l'influence de son maître.

N.º 1489, *Sir Endymion Porter et Van Dyck,* tableau oval des bustes des deux personnages. Il appartient à la meilleure époque du peintre et il est estimé comme un de ses meilleurs portraits par sa finesse et élégance.

N.º 1488, *Le graveur Paul du Pont;* **n.º 1475,** *La Piété,* beau tableau sur un sujet plusieurs fois répété.

SALLE XVII.—RUBENS (Suite.)

N.º 1683, *L'Archiduc Albert d'Autriche;* **n.º 1688,** *Saint Thomas More, Grand Chancelier d'Angleterre,* copie de **Holbein,** par **Rubens; n.º 1684,** *L'Infante Isabelle Claire Eugénie.*

N.º 1991, *Guirlande avec Jésus et Sainte Thérese,* et **n.º 1994,** *Guirlande avec la Vierge, l'Enfant et Saint Jean,* tableaux tous les deux de la peintresse flamande **Cathérine Ickens** (1659-?).

N.º 1645, *Acte de dévotion de Rodolphe I d'Habsburg,* tableau de **Rubens** provenant des Collections Royales.

N.º 1685, *Marie de Médicis, reine de France* (Pl. 31), femme d'Henri IV le Béarnais, estimé comme un grand portrait; **n.º 1418,** *La Vierge et l'Enfant entourés de fleurs et de fruits,* œuvre faite en collaboration avec **Bruegel; n.º 1689,** *Anne d'Autriche, reine de France,* sœur de Philippe IV, mariée avec Louis XIII de France. Il existe une autre copie de ce portrait.

N.º 1414, *Cybèle et les Saisons,* entourées d'un feston de fruits, par **Bruegel** (1568-1625) et **Van Balen** (1575-1632); **n.º 1662,** *Atalante et Méléagre chassant le sanglier de Calidonie,* tableau peint par **Rubens** entre 1639 et 1640, semblable à celui qui existe au Musée de Bruxelles, et **n.º 1460,** *Guirlande avec trois amours,* tableau de **Christian Lucks** ou **Luycks** (1623-1653).

SALLE XVII A.—VAN DYCK ET JACOB JORDAENS

N.º 1545, *L'Enfant Jésus et Saint Jean,* œuvre de **Jordaens** (1598-1678), disciple lui aussi de **Rubens** donst il suit l'enseignement, mais il est moins élégant et moins puissant. Sa peinture est réaliste, mais la couleur est moins riche que celle de **Rubens.**

N.º 1661, *Achille découvert par Ulysse,* œuvre faite en collaboration entre **Rubens** et **Van Dyck; n.º 1496,** *La Vierge aux roses,* œuvre d'un disciple de **Van Dyck.**

N.º 1546, *Méléagre et Atalante,* peint vers 1628 par

Jordaens. Il a éte prouvé que ce tableau fut peint à deux époques différentes et su deux toiles distinctes et la moitié gauche fut ajoutée depuis.

N.º 1550, *Trois musiciens ambulants*, ébauche qui a été parfois attribuée à **Van Dyck.** Elle entra au Prado en 1827 et provenait du palais de la Moncloa; c'est une œuvre de petites dimensions dont le dessin et la couleur vive lui donnent un caractère très moderne.

N.º 1544, *Le mariage mystique de Sainte Cathérine d'Alexandrie*, par **Jordaens,** que l'on ne crut pas d'abord de sa main.

N.º 1494, *Sainte Rosalie*, et **n.º 1495,** *Marie Ruthwen*, épouse du peintre, tous deux de **Van Dyck.**

N.º 1549, *La famille du peintre* (Pl. 32), par **Jordaens.** Toile estimée comme la meilleure de ses œuvre. On croit que le chevalier du luth est son propre portrait; son épouse Cathérine la dame que l'on voit assise, en compagnie de leur fille et d'une servante.

Viennent après des sujets mythologiques: le **n.º 1547,** *Offrande à Pomone*, qui est peut-être une des premières toiles de **Jordaens,** et le **n.º 1548,** *Déesses et nymphes après le bain*, du même auteur.

N.º 1493, *Doña Policena Spínola, marquise de Leganés*, fille d'Ambroise Spínola, vainqueur à Bréda. Très beau portrait, d'un certain charme au visage et de mains d'un parfait dessin. Peint par **Van Dyck.**

SALLE XVIII.—RUBENS (Suite.)

N.º 1640, *Repos au cours de la fuite en Egypte;* **n.º 1666,** *Nymphes et satyres*, est une toile qui fut composée entre 1637 et 1640 et qui provient de l'héritage de l'artiste; **n.º 1691,** *Danse de villageois*, sujet populaire, peint entre 1636 et 1640; **n.º 2455,** *Achille découvert par Ulysse*, et **n.º 2456,** *La déroute de Sénaquérib*,

Los Borrachos o El triunfo de Baco (fragmento).—The drunkards or Triumph of Bacchus.—Les ivrognes ou Le triomphe de Bacchus.—Bacchus und die Zechbrüder.—Gli Ubbriachi, od Il Trionfo di Bacco

El Príncipe Baltasar Carlos

tous deux produits en collaboration avec **Van Tulden.**

N.º 1710, *Hercule et l'hydre,* de **Rubens,** copie de **Mazo; n.º 1665,** *Diane et ses nymphes surprises par des satyres,* un des chefs-œuvre de **Rubens.**

N.º 1725, *Diane chasseresse,* œuvre de l'atelier de **Rubens.**

N.º 1690, *Le Jardin de l'Amour,* toile peinte par **Rubens** en 1638, où il s'est représenté lui-même dans le chevalier, personnage à la gauche du tableau, ainsi que Hélène Fourment, sa femme, dans la dame située au milieu du tableau et qui s'appuie au genou d'une servante. L'essentiel de l'œuvre de **Rubens** est le paysage et les détails secondaires sont des élèves de son atelier. Il faut noter ici la sensualité exubérante de l'artiste, dans ses nymphes, ses cupidons armés de flèches, les chevaliers et les fleurs. Le tableau est une invitation au plaisir et à la jouissance.

Et, enfin, les **numéros 1420** et **1999,** sur le sujet de fleurs et de fruits.

SALLE XVIII A.—RUBENS (Suite.)

Nous voyons dans cette salle les peintures mythologiques suivantes:

N.º 1677, *Mercure;* **n.º 1663,** *Andromède libérée par Persée,* tableau considéré comme le dernier que peignit **Rubens.** Il fut terminé par **Jordaens; n.º 1681,** *Démocrite, ou le philosophe qui rit;* **n.º 1674,** *La fortune.*

N.º 1670, *Les Trois Grâces,* peinte vers 1639, dans la meilleure époque de **Rubens.** Nous sommes en présence de l'un des tableaux les plus importants du peintre, d'une richesse de couleur étonnante. Le tempérament sensuel de **Rubens** apparait ici dans toute son exubérance. Il représente les *Trois Grâces,* Aglaé, Euphrosyne et Thalie, debout, nues et enlacées. Au fond, un passage avec trois chevreuils. On prétend que le personnage à gauche est Hélène Fourment, la femme du peintre. Philippe IV acheta le tableau à la mort de **Rubens.**

N.º 1679, *L'enlèvement de Ganymède*, peint vers 1636 et destiné à décorer la tour de La Parada, entra ensuite au Prado.

N.º 1678, *Saturne*, dévorant un de ses enfants; **n.º 1669,** *Le Jugement de Paris*, chef-d'œuvre, de **Rubens,** thème plusieurs fois répété, mais cette version étant supérieure aux autres.

N.º 1676, *Vulcain forgeant la foudre pour Jupiter*, œuvre classifiée comme d'atelier; **n.º 1682,** *Archimède, réfléchissant.*

Et, enfin, le **n.º 1680,** *Héraclite, ou le philosophe qui pleure.*

SALLE XIX.—RUBENS (Suite, Ébauches.)

Nous voyons dans cette salle quelques unes des ébauches de 17 tableaux commandés à **Rubens** par l'Infante Isabelle Claire Eugénie, pour les tapis du couvent des Déchaussées Royales, à Madrid: **n.º 1700,** *Le Triomphe de l'Amour Divin;* **n.º 1699,** *Triomphe de l'Eucharistie sur l'Idolâtrie;* **n.º 1697,** *Triomphe de la vérité catholique;* **n.º 1702,** *Les quatre Évangélistes;* **n.º 1701,** *Triomphe de l'Eucharistie sur la Philosophie;* **n.º 1698,** *Le Triomphe de l'Église;* **n.º 1695,** *Sainte Claire entre des Pères et des Docteurs de l'Église*, et **n.º 1696,** *Abraham offre la dîme à Melchisédech.*

N.º 2454, *L'éducation d'Achille*, et **n.º 2566,** *Briséis est rendue à Achille*, tous deux de **Rubens** en collaboration avec **Van Tulden.**

Enfin, nous voyons quelques petits tableaux de **Rubens,** ébauches sur des sujets mythologiques.

SALLE XX.—RUBENS ET DES DISCIPLES

N.º 1693, *L'enlèvement d'Europe,* copie du **Titien** peinte par **Rubens** pendant son second séjour à Madrid.

N.º 1463, *Jupiter et Lycaon,* par **J. Cossiers,** peintre flamand (1600-1671).

N.º 1671, *Diane et Callisto.* Œuvre de **Rubens,** en collaboration avec des disciples. **N.º 1628,** *Enlèvement d'Europe,* peint par **Quellyn** (1607-1678).

N.º 1727, *La chasse de Diane,* toile de **Rubens,** sauf les chiens, attribués à **P. de Vos** (1596-1678). On voit aussi dans cette salle plusieurs tableaux sur des sujets de guirlandes de fleurs, tout appartenant à des peintres de la même école.

SALLE XXI.—ÉCOLE FLAMANDE. P. DE VOS ET J. COSSIERS

Nous voyons ici deux toiles oblongues de **Paul de Vos** (1596-1678), peintre flamand spéciliasé en peinture d'animaux et sujets de chasse et vénerie, qu'il peignit pour Philippe IV; **n.º 1870,** *Cerf poursuivi par la meute,* et **n.º 1869,** *Chasse de chevreuils,* où on trouve une bonne étude du naturel. Tous deux proviennent des Collections Royales.

De **Jan Coetsiers** ou **Cossiers** (1600-1671), disciple de **Rubens,** passionné pour les sujets mythologiques, nous voyons dans cette salle le **n.º 1465,** *Narcisse se contemplant à la source,* tableau signé par son auteur.

N.º 1673, *Mercure et Argus,* œuvre de l'atelier de **Rubens,** avec la collaboration de son disciple **Van Uden** (1595-1672).

N.º 1718, *L'Amour endormi,* tableau de l'atelier de **Rubens,** aussi.

Enfin, le **n.º 1672,** *La déesse Cères et le dieu Pan*, par **Rubens** et **F. Snyders** (1579-1657), ainsi que deux vases à fleurs, peints par **Bruegel.**

SALLE XXII.—ÉCOLE HOLLANDAISE. REMBRANDT

Rembrandt (1606-1669) est le chef de l'école réaliste des Pays-Bas. Il domine, comme personne put le faire, les problèmes de la lumière et de la pénombre, en obtenant de merveilleux effets. Peintre lyrique, il met tout son sentiment et sa passion dans ses tableaux, et il est célèbre comme un excellent coloriste.

A cette salle nous voyons le **n.º 2808,** *Portrait de lui-même*, excellent parmi le grand nombre de ceux qu'il peignit pendant sa vie, que l'on croit fait entre 1660 et 1663.

De cette même école, nous voyons aussi, distribués dans cette salle, des œuvres de peintres suivants:

D'**Adriaen van Ostade** (1610-1684), bon peintre et graveur, nous avons sous les yeux plusieurs scènes comiques de la vie populaire; **n.º 2123,** *Le chant des paysans;* **n.ºs 2121** et **2126,** *Concert rustique;* **n.º 2122,** *Cuisine de campagne*, et les **n.ºs 2124,** *Les cinq sens, la Vue*, et **2125,** *Les cinq sens, l'Ouïe*. Ces deux derniers, copies dont les originaux sont perdus.

De **Philips Wouwerman** (1619-1668), peintre spécialisé aux sujets de chasses, nous avons le **n.º 2150,** *Départ pour la chasse au faucon;* **n.º 2151,** *Le départ de l'auberge*, et quelques autres sur des thèmes analogues.

De **Paulus Potter** (1625-1654), le **n.º 2131,** *Sur le pré*, deux vaches et une chèvre; **n.º 2097,** *Offrande*, de **P. F. Grebber** (1600-1653).

De **Gérard van Honthorst** (1590-1656), le **n.º 2094,** *L'incrédulité de Saint Thomas*, toile bien peinte où on aperçoit pleinement l'imitation qu'il fait du style de **Caravaggio.**

De **Gabriel Metsu** (1630-1667), le **n.º 2103,** *Coq mort.*

En outre, un paysage de **Jan van Goyen** (1596-1656) et d'autres œuvres de moindre importance.

SALLE XXIII.—PEINTURE HOLLANDAISE (Suite.)

N.º 1728, *Forêt,* et **1729,** *Paysage,* œuvre de **Ruysdael** (1628-1682), et, entre les deux, *Le philosophe,* par **Köninck;** ensuite le **n.º 2586,** *Scène soldatesque,* de **Palamèdes** (1601-1673).

On trouve aussi, sans numéro, *L'Adoration des Bergers,* tableau portant l'anagramme de **Rembrandt,** mais qui est attribué à **Samuel Köninck; n.º 2149,** *Chasse au faucon,* et **n.º 2147,** *Chasse,* tous deux de **Wouwerman.**

N.º 2860, *Paysage,* par **Hobbema** (1638-1709); **n.º 2133,** *La jeune fille au baril,* œuvre de l'école de **Rembrandt; n.º 2588,** *Jeune homme avec la main sur sa poitrine,* par **Van Ceulen; n.º 2154,** *Combat entre des maures et des chrétiens,* et **n.º 2152,** *Halte à l'auberge,* par **Wouwerman.**

N.º 2132, *Artémise,* de **Rembrandt** (Pl. 33). La reine de Pergame recevant les cendres de son époux dans une coupe: œuvre très caractéristique de ce peintre, où il faut faire remarquer les intéressantes nuances dorées, la parfaite étude des mains et l'expressif dessin de la tête. C'est une allusion à la fidélité et à l'amour conjugal. Tableau acquis en 1779 par le peintre **Mengs** pour le Marquis de la Ensenada.

Enfin, le **n.º 2135,** *Effet de lumière,* par **Schalcken** (1643-1706).

SALLE XXIV.—PEINTURE ESPAGNOLE DU XVe SIÈCLE

Cette salle, immédiate à la Rotonde d'entrée et vestibule de la Grande Galerie centrale, est consacrée aux primitifs espagnols, desquels nous voyons les œuvres suivantes:

N.o 705, *La Visitation;* **n.o 708,** *Baptême du Christ;* **n.o 706,** *Naissance de Saint Jean Baptiste;* **n.o 707,** *Prédication de Saint Jean Baptiste;* **n.o 710,** *L'égorgement du Baptiste* (Pl. 34), et **n.o 709,** *Mise en prison de Saint Jean Baptiste,* ensemble de six tableaux de peintre anonyme hispano-flamand de la fin du XVe siècle, provenant de la Chartreuse de Miraflores (Burgos), qui furent classifés d'abord comme de l'école de **Ferdinand Gallego.**

Pedro Berruguete (1450 ?-1503), peintre castillan père du sculpteur Alonso Berruguete, présente ici un ensemble de 10 tableaux; **n.o 616,** *Saint Dominique de Guzmán;* **n.o 609,** *Saint Dominique et les albigeois;* **n.o 610,** *Saint Dominique ressucite un jeune homme;* **n.o 615,** *Apparition de la Vierge à une communauté;* **n.o 618,** *Auto da fe;* **n.o 612,** *Saint Pierre Martyr en prière* (Pl. 35); **n.o 611,** *Sermon de Saint Pierre Martyr;* **n.o 613,** *Mort de Saint Pierre Martyr;* **n.o 614,** *Tombeau de Saint Pierre Martyr,* et **n.o 617,** *Saint Pierre Martyr.* Ces dix tableaux appartenaient à l'origine à deux retables consacrés à Saint Dominique de Guzmán et à Saint Pierre Martyr, et se trouvaient dans le couvent de Saint Thomas à Avila. De cette série, l'*Auto da fe* et *Saint Dominique et les albigeois* et celle de *Saint Pierre Martyr,* sont de la main de **Berruguete.** Nous pouvons voir ici la haute qualité de cet artiste, le meilleur des primitifs espagnols, qui se caractérise par son expressive sobriété.

Les autres tableaux sont d'une qualité et d'une couleur bien inférieures, ce qui suppose la collaboration d'un autre peintre, un nommé **Santos,** selon Lefort.

Nous voyons aussi le **n.º 1305,** *L'épreuve du feu*, répétition du sujet du **n.º 609.**

Il faut ajouter que **Berruguete** est le premier peintre espagnol qui se rendit en Italie, et bien qu'il ne perde jamais sa sobriété toute castillane ni sa manière personnelle, on remarque aisement diverses influences italiennes. Ses tableaux, fait très remarquable, veulent être fidèles à la réalité. Il emploie beaucoup, contrairement à la tradition flamande, l'or et l'argent dans les fonds et les ornements; il montre une maîtrise tranquille dans la peinture des personnages isolés et dans la représentation des foules apparaît déjà le réalisme picaresque.

N.º 2647, *Le Christ donnant la bénédiction* (Pl. 36) œuvre de **Ferdinand Gallego** (1440-1507), partie centrale du retable de l'église de Saint-Laurent, de Toro (Zamora), et provenant du legs Bosch, est entrée au Musée en 1913; œuvre très digne d'estime. On y décèle l'influence des frères **Van Eyck** et surtout celle de **Bouts.** La figure du Seigneur est majestueuse et sévère, les plis des étoffes parfaitement rendus, le tout en accord avec l'enseignement flamand.

Ensuite viennent deux portes d'un triptyque ou panneaux d'un retable avec quatre scènes de la vie religieuse, d'un peintre **anonyme espagnol, n.º 2575,** *L'Annonciation;* **n.º 2577,** *La Nativité;* **n.º 2578,** *La mort de la Vierge*, et **n.º 2576,** *Le Marquis de Santillana en prière.* Elles proviennent du couvent bénédictin de Sopetrán (Guadalajara) et ont subi l'influence de **Van der Weyden** et de **Memling.**

N.º 1326, *Saint Michel Archange*, œuvre d'auteur

anonyme hispano-flamand, de 1475, environ, peut-être de **J. Sánchez de Castro,** acquise à l'hôpital de Saint-Michel, de Zafra (Badajoz), et incluse au Musée en 1924; tableau d'influence flamande accentuée, que nous pouvons classifier dans le groupe andalou, comme on peut le voir dans le dessin de ses anges et la maîtrise de la couleur.

N.º 1260, *La Vierge des Rois Catholiques* (Pl. 37), d'un hispano-flamand inconnu. Cette œuvre provient de Saint-Thomas (Avila); elle doit dater environs de 1465. C'est un des tableaux les plus importants de notre collection de primitifs, document historique que donne les portraits des Rois Catholiques et de l'Inquisiteur Torquemada. Les tons sont clairs, les personnages et les plans successifs fort bien conservés.

Aux deux côtés de celui-ci, les **n.ºs 2935** au **2938,** quatre tableaux du peintre **Jean de Flandes;** *La Résurrection de Lazare*, *L'Oraison du Jardin*, *L'Ascension* et *La Pentecôte*, les tableaux plus représentatifs de ce peintre des Rois Catholiques.

Et, enfin, le **n.º 1323,** *Saint Dominique de Silos*, de **Bartolomé de Cárdenas Bermejo,** provient d'un fragment du retable de Daroca. Il représente le Saint revêtu des ornements pontificaux avec la mitre, la crosse et le livre, assis sur un trône. Peinture d'une grande technique, digne des peintres parmi les plus vigoureux des primitifs espagnols et d'une inspiration vraiment espagnole à laquelle s'unissent des influences plus ou moins flamandes. On doit noter aussi l'attitude majestueuse du Saint, sa vigueur, la finesse des broderies de la capa magna et les filigranes de l'arrière-plan.

La Infanta Margarita.—The Infanta Margaret.—L'Infante Marguerite. L'Infanta Margherita

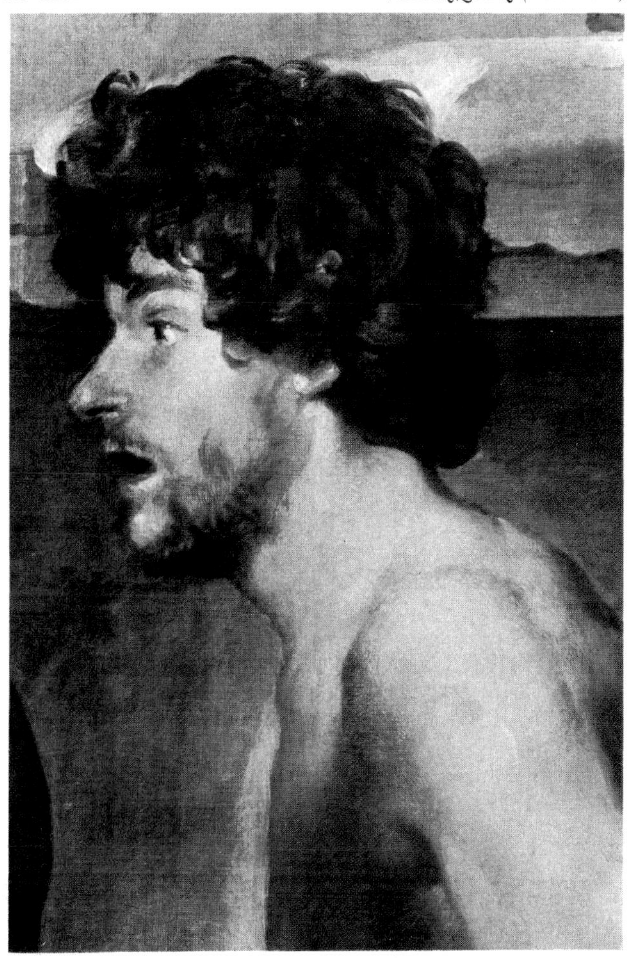

La fragua de Vulcano (fragmento).—Vulcan's Forge (fragment).—La forge de Vulcain.—Die Schmiede des Vulkan.—La fucina di Vulcano (frammento)

El Conde-Duque de Olivares.—The Count-Duke of Olivares.—Le Comte-Duc d'Olivares.—Der Herzog Graf von Olivares.—Il Conte-Duca di Olivares

Pablo de Valladolid

La rendición de Breda.—Surrender of Breda.—Reddition de Bréda.—Die Übergabe von Breda.—La resa di Breda

Retrato del Cardenal-Infante D. Fernando.—Portrait of the Cardinal-Infant D. Fernando.—Le Cardinal-Infant D. Fernando.—Der Cardinal-Infant D. Fernando.—Ritrato del Cardinale Infante D. Fernando

Retrato de Doña Mariana de Austria.—Portrait of the Queen Mariana of Austria.—La Reine Marianne d'Autriche.—Die Königin Marianne von Österreich.—Ritratto di Marianna d'Austria

El Conde de Benavente.—The Count of Benavente.—Le Comte de Benavente.—Der Graf von Benavente.—Il Conte di Benavente

El Príncipe Baltasar Carlos (detalle).—The Prince Balthazar Charles. Le prince Balthazar Charles.—Der Prinz Don Balthasar Karl (Teilbild). Il Principe Baldassarre Carlo

Retrato de Martínez Montañés.—Martínez Montañés portrait.—Bild von Martínez Montañés.—Ritratto di Martínez Montañés

Las Hilanderas (detalle).—The Spinners.—Les Fileuses.—Die Spinnerinen (Teilbild).—Le filatrici

N.º 1206 *VELAZQUEZ (1599-1660)*

Esopo.—Aesop.—Esope.—Aesop.—Esopo

El bufón Calabacillas.—The Bufoon Calabacillas.—Le bouffon Calabacillas.—Der Hofnarr Calabacillas.—Il Buffone Calabacillas

La Coronación de la Virgen (detalle).—The Coronation of Our Lady. Le Couronnement de la Vierge.—Die Krönung der Heiligen Jungfrau (Teilbild).—L'Incoronazione della Madonna

Las Meninas (detalle).—The Meninas.—Les Menines.—Las Meninas (Teilbild).—Le «Meninas»

La Reina María de Médicis.—The Queen Mary of Medicis.—La Reine Marie de Médicis.—Die Königin Maria von Medici.—La Regina Maria de Medici

La familia del pintor.—The Painter's Family.—La famille du Peintre. Die Familie des Malers.—La Famiglia del Pittore

Adoración de los Magos.—The Adoration of the Magi.—L'Adoration des Mages.—Die Anbetung der Könige.—L'Adorazione dei Re Magi

LÁM. XIV

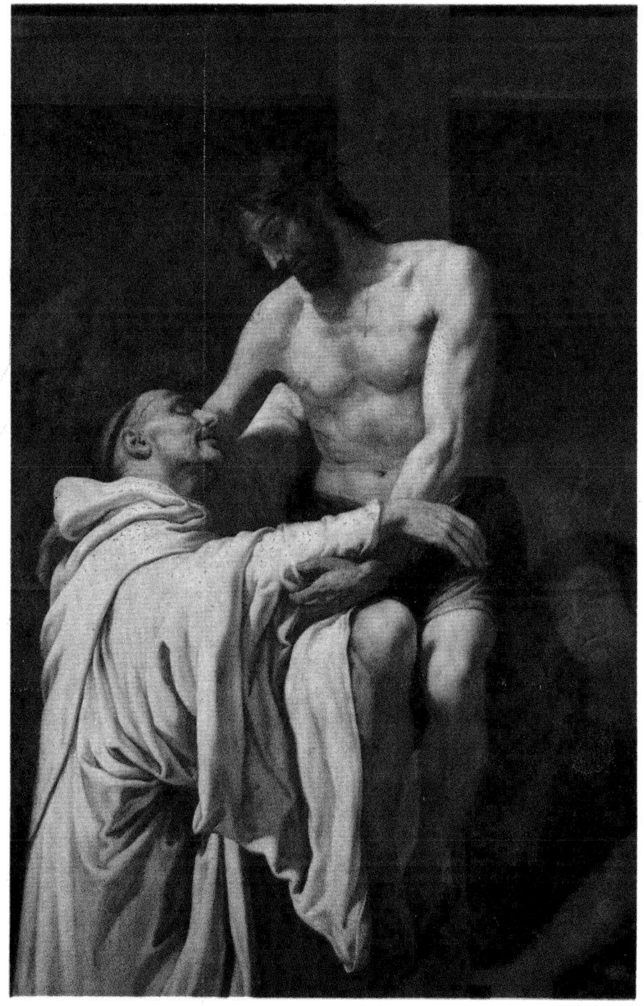

Cristo abrazando a San Bernardo.—Christ embracing St.-Bernard. Christ embrassant Saint Bernard.—Christus umarmt den hl. Bernhard. Cristo abbracciato a S. Bernardo

LÁM. XV

GRANDE GALLERIE CENTRALE

SALLE XXV.—PEINTRES ESPAGNOLS DES XVIe ET XVIIe SIÈCLES

Francisco Ribalta, né à Solsona (Lérida) (1555-1628), contemporain de **Juan de Juanes,** dont il était, croit-on, l'élève, il représente dans l'histoire de la peinture une première tentative réaliste face au maniérisme d'un grand nombre de peintres. Artiste qui sait étudier la lumière, d'une technique sobre, il fait preuve d'un réalisme vigoureux et d'une grande force dramatique dans la peinture religieuse. Dans le même temps et sans qu'il y ait entre les deux aucun contact, **Caravaggio** applique la même technique. Comme beaucoup d'autres peintres, **Ribalta** obéissant seulement à ses propres réactions suit le chemin du réalisme.

Le **n.º 2804,** le *Christ embrassant Saint Bernard* (Pl. XV), est une œuvre que nous pouvons considérer comme de la dernière époque du peintre. On l'avait attribuée d'abord à Zurbarán et le Musée du Prado l'acquit en 1940. Nous remarquons dans cette toile un grand sens du drame religieux, un dessin précis et de chaudes couleurs. Le vêtement du Saint annonce les habits de couleur blanche que peignait Zurbarán.

N.º 3044, *St. Jean Évangéliste.* Toile merveilleuse de la première époque du peintre, exposée pour la première fois.

Jean Baptiste Maino (1568-1649), peintre espagnol contemporain du **Greco,** né à Pastrana (Guadalajara) de parents espagnols, qu'on avait cru italien jusqu'à présent. Il vit et travaille d'abord à Tolède, puis à Madrid, où il enseigne le dessin à Philippe IV. A Tolède, il entre très jeune au couvent de Saint-Pierre Martyr. Il fait la connaissance du **Greco,** devient son ami et travaille alternativement avec son fils Jorge Manuel et **Louis Tristán.** Il est très discutable d'en faire un disciple du **Greco;** peut-être faut-il noter l'influence de ce dernier dans sa manière de résoudre les problèmes de l'ombre et de la lumière, encore qu'intervient nettement sa propre personnalité.

Dans le tableau **n.º 885,** *Reconquête de Bahia*, *Brésil*, qu'il peignit pour décorer le salon des Rois du Palais du Retiro, et qui est l'une des meilleures toiles historiques que nous possédons; on note ses qualités de portraitiste, ainsi que la distribution judicieuse des personnages et la valeur de la couleur.

N.º 886, *L'Adoration des Mages* (Pb. 38), qui porte la signature de l'auteur, provient de l'église de Saint-Pierre Martyr, de Tolède. Il faisait partie avec trois autres tableaux de son grand retable; très belle toile appartenant à une époque de transition, aux riantes couleurs. **Maino** est un artiste original, précis et réaliste. Sa couleur est pleine de suavité et de fluidité transparente, ce qui donne un grand charme à ses tableaux. Le style rappelle l'époque de **Caravaggio.** Une lumière très étudiée, un riche coloris, lumineux et transparent, font de cette toile l'une des plus remarquables que possède le Prado sur un tel sujet.

N.º 2502, *St. Bruno refuse l'archevêché de Reggio*, par **Carducho.** Nous voyons à gauche le Pape Urbain II, offrant les insignes d'évêque au fondateur St. Bruno, qui les refuse.

N.º 3018, *Pentecôte,* par **Maino.** Dans un groupe serré on peut voir la Vierge, une autre femme et les douze apôtres regardant la descente de la colombe, au milieu de splendeurs. St. Jean l'Évangéliste dicte ou lit les Actes des Apôtres. Toile peinte en 1611 pour le retable de St. Pierre Martyr de Tolède.

Enfin, le **n.º 858,** *La reddition de Juliers,* de **José Leonardo** (1605-1656). École espagnole.

N.º 859, *La prise de Brisach,* de **José Leonardo** (1605-1656). (École espagnole).

N.º 1127, *Un Général d'Artillerie,* de **Francisco Rizi** (1608-1685). (École espagnole).

N.º 639, *Le miracle des eaux,* par **Carducho.** On voit dans le fond des temples en construction et en premier plan St. Bruno et ses six premiers disciples remerçiant Dieu d'avoir fait jaillir de l'eau d'un rocher.

N.º 887, *Don Tiburce de Rendin et Cruzat,* portrait en pied du chevalier de Santiago qui prit l'habit des capucins avec le nom de François de Pamplona. C'est une œuvre d'une grande qualité qui peut rivaliser avec les meilleurs portraits. Il fut longtemps difficile de reconnaître son auteur et on l'attribua à **Mazo.** Une étude plus approfondie permet de la désigner comme étant de **Fray Juan Andrés Rizi de Guevara,** peintre madrilène qui vécut de 1600 à 1681.

D'**Antonio de Pereda** (1608-1678), peintre castillan de technique soignée. **N.º 1317 A,** *Délivrance de Gênes par le Marquis de Santa Cruz.*

Enfin le **n.º 1340,** *Saint Pierre libéré par un ange,* d'**Antonio Pereda** (1608-1678).

SALLE XXV A

Cette salle est complètement consacrée aux peintres appartenant à l'école italienne.

N.º 436, *La Prière au Verger*, remarquable par l'effet de lumière. Il existe un autre tableau analogue à la Sacristie de l'Escorial.

Nous voyons aussi dans cette salle les œuvres suivantes, d'autres peintres:

Le **n.º 346,** *Descente du Christ au Limbe*, œuvre du peintre italien **Sébastien del Piombo** (1485 ?-1547), école vénitienne.

N.º 345, *Le Christ portant la croix*, par **Sébastien del Piombo** (1485?-1547), un bon travail, d'un dessin vigoureux, où le sujet est profondément senti. On y note l'influence de **Michel Ange.** Analogue à ce tableau, on peut citer qui se trouve au Musée de l'Ermitage et qui provient du butin que le Maréchal Soult réalisa en Espagne.

Le **n.º 2638,** *La Vierge et l'Enfant*, de **Cima da Conegliano** (1460-1518).

N.º 417, *Allocution du Marquis du Vasto à ses soldats*, tableau acquis à l'encan de Charles I d'Angleterre.

N.º 416, *La dame au turban vert*, toile attribuée à **Dosso Dossi,** né à Ferrara entre 1475 et 1479, et mort en 1542.

N.º 441, *L'enterrement du Christ*, scène avec des variantes du tableau que, sous le **n.º 440,** nous verrons à la Salle IX.

N.º 452, *Philippe II*, œuvre d'**Atelier du Titien.**

N.º 433, *L'Adoration des Mages*, toile que, bien que quelques uns ont douté qu'elle soit l'œuvre du **Titien,** d'autres l'assurent, et elle serait même supérieure à la réplique de l'Ambroisienne.

N.º 42, *Ecce-Homo,* du **Titien,** œuvre d'attibution douteuse.

N.º 289, *Agnese, belle-sœur du peintre,* par **Bernardino Liccinio** (1489-1549); **n.º 269,** *L'Adoration des Bergers,* par **Palma «le Vieux»** (1480-1528), tableau de bonne composition et qualité de couleur, sur l'authenticité duquel on douta autrefois; **n.º 262,** *Un militaire,* portrait, par **G. B. Moroni** (1520-1578).

SALLE XXVI.—RIBERA

José de Ribera, plus connu sous le nom de «l'**Españolet**» (1591-1652), est considéré comme l'un des plus grands artistes du XVIIe siècle. Élève de **Ribalta,** il se rend très jeune à Naples, où, jouissant de la protection du vice-roi Duc d'Osuna, il passe la plus grande partie de sa vie compose ses œuvres. **Ribera** dessine bien et connaît toutes les ressources de la couleur, comme le montre sa technique du clair-obscur, dont il est sans doute le meilleur artisan. Nul n'a su peindre comme lui des corps à moitié-nus se détachant sur un fond noir et partiellement éclairé. Les grandes scènes des drames religieux, les martyrs des saints, peints de sobres couleurs, sont caractéristiques du talent de **Ribera.** Mais il n'est pas uniquement un peintre ténébreux, aimant à jouer des contrastes entre la lumière et les ombres; il évolue et nous offre des tableaux aux somptueuses couleurs, des vierges et de saintes d'une singulière beauté.

Parmi les tableaux de ce peintre que nous verrons dans cette salle il y a quelques-uns qu'appartenaient à un Apostolat provenant de l'Escorial, dont voici le **n.º 1083,** *Saint Jacques le Majeur.*

N.º 1100, *Saint Bartholomé;* **n.º 1075,** *Saint Paul, ermite;* **n.º 1118,** *Jacob recevant la bénédiction d'Isaac;*

n.º 1106, *Sainte Marie Egyptienne;* **n.º 1105,** *La Madeleine répentante;* **n.º 1109,** *Saint Roch.*

N.º 1069, *La Trinité.* C'est l'un des tableaux les plus importants de **Ribera.** L'œuvre, majestueuse de conception, est d'une exécution parfaite et pleine de sérénité. Toile composée vers 1636, fut achetée par Ferdinand VII pour le Musée du Prado. On en trouve. une réplique à l'Escorial.

N.º 1108, *Saint Jean Baptiste au désert;* **n.º 1078,** *Saint André* (Pl. 41).

Le **n.º 1117,** *Le songe de Jacob*, appartient à la dernière époque de **Ribera.** Le coloris est somptueux, la conception grandiose; la tête du Patriarche est une étude d'une grande beauté. Ce tableau, qui fut d'abord attribué à **Murillo,** fit partie de la collection d'Isabelle Farnèse; puis, de l'Académie des Beaux Arts passa au Prado en 1827.

N.º 1072, *Saint Pierre Apôtre*, avec les clefs dans sa main droite et le livre dans sa gauche.

N.º 1133, *La Madeleine ou la Sainte-Thaïs*, corps de femme agenouillée. En 1772 il se trouvait au Palais Royal d'où il passa au Musée du Prado. La Sainte est d'une extraordinaire beauté, et ce sujet, souvent repris, n'a jamais été traité avec tant de perfection.

N.º 1101, *Le martyre de Saint Bartholomé*, un tableau des plus caractéristiques de sa manière. La représentation de ce terrible martyre est telle qu'elle nous attire sans nous bouleverser. Au centre, le corps du saint qui se tord. Á noter le nu et la beauté des proportions. Á en juger par la couleur, l'œuvre n'est pas sombre. Le tableau signé en 1630.

SALLE XXVI A

Francisco de Zurbarán (1598-1664), que l'on peut considérer comme le principal artiste de l'école sévillanne, est pauvrement représenté au Prado. Pour une étude plus approfondie, nous recommandons une visite au monastère de Guadalupe et au musée provincial de Séville. Artiste moins tourmenté que **Ribera,** aux couleurs plus claires, il est le peintre des moines et des ordres religieux espagnols. La vie ascétique des couvents lui fournit la matière de ses sujets. Ses principaux clients sont les communautés religieuses: pères de la Merci, chartreux, hiéronymites, dont il peint merveilleusement les habits. Il a aussi composé un grand nombre de natures mortes, certaines d'un très grand intérêt. La composition est simple; il aime comme **Ribera** les contrastes entre les lumières et les ombres; profondément croyant, mais d'un tempérament équilibré, il offre à notre contemplation la vie monacale et un idéal religieux simple et modéré.

N.º 2992, *L'Immaculée Conception*, acquis par le Ministère d'Éducation Nationale en 1956.

N.º 2803, *Nature morte.*

N.º 1239, *Sainte Casilde.* Cette sainte était la fille du roi maure Almancrin, qui gouvernait Tolède aux années 1039 et 1075. Jeune fille affectueuse et très compatissante envers les prisonniers chrétiens, une légende populaire raconte que quand elle portait un jour des mets pour les prisonniers, elle fut surprise par son père, qui âprement lui démanda que portait-elle. «Des roses et des fleurs», répondit Casilde. Et, en découvrant les plis de sa tunique, voilà que les mets étaient réellement convertis en fleurs. C'est le moment qui est répresenté sur le tableau.

Personnage isolé, représenté debout sans presque

rien qui dénote son caractère religieux. Sur un fond obscur, le riche vêtement d'une dame de l'époque, au noble maintien, qui s'avance légèrement et regarde le spectateur, ressemblant beaucoup plus à un portrait de cour qu'à un saint personnage. Des Collections Royales ce tableau passa au Musée du Prado. Notons encore la finesse et la couleur avec lesquelles le peintre a exécuté les étoffes et les plis des vêtements de la Sainte.

Enfin, **n.º 2888,** *Vase à fleurs;* **n.º 2594,** *Saint Luc, peintre, devant Christ dans la Croix.* On a supposé que la figure de Saint Luc est le portrait de **Zurbarán** lui-même.

N.º 1244, *Hercule chassant le sanglier* d'**Erimanthe,** tableau qui, en même temps que huit autres de cette série, que nous verrons dans cette salle, a été peint pour le Salon aux Royaumes du Palais du Retiro.

N.º 3010, *St. Antoine de Padoue.*

N.º 1246, *Hercule Antée.*

N.º 1242, *Hercule vainqueur*, de **Gérion.**

N.º 2442, *Saint Jacques d'Alcalá.*

N.º 1246, *Hercule détournant le cours de la rivière Alphée.*

N.º 2472, *Saint Jacques de la Marca.*

N.º 1250, *Hercule en proie aux affres de la tunique Nessus.*

N.º 1245, *Hercule maîtrisant le taureau de Crète.*

N.º 1249, *Hercule tuant l'hydre.*

N.º 1237, l'*Apparition de l'Apôtre Saint Pierre à Saint Pierre Nolasco.* Les deux œuvres furent achetées par Ferdinand VII. Remarquons dans ces tableaux leur grande simplicité, leur réalisme et le relief que donne la couleur blanche des habits du Saint.

N.º 656, *Défense de Cadix contre les anglais*, par **Francisco de Zurbarán** (1598-1664).

Le **n.º 1236,** *La vision de Saint Pierre Nolasco*, fut

peint pour le couvent de la Merci de Séville en 1629.

N.º 1247, *Hercule et le Cerbère.*

N.º 1243, *Hercule luttant avec le Lion de Némée.*

SALLE XXVII.—MAZO

Cette salle occupe la troisième partie de la Galerie Centrale et elle est réellement le centre qui communique les deux ailes de la Galerie.

Au centre, à la partie haute du mur, à droite, il y a un buste de l'architecte du Musée, Jean de Villanueva; en dessous, une autre sculpture, de Charles Quint, réalisée par **Pompeo Leoni,** et d'un côté et d'autre, les portraits équestres; **n.º 1176,** *Philippe III,* et **n.º 1177,** son épouse, *La Reine Marguerite d'Autriche,* des œuvres de peintre inconnu avec retouches de **Vélasquez.**

En face de ceux-ci, le **n.º 1213,** *La Fontaine des Tritons,* paysage du Jardin de l'Île, d'Aranjuez, que l'on croit de **Vélasquez,** et le **n.º 1214,** *La rue de la Reine* à *Aranjuez,* paysage de **Martínez del Mazo,** disciple et gendre de **Vélasquez.**

SALLE XXVIII.—MURILLO

Bartolomé Esteban Murillo (1618-1682) est le peintre de la grâce et de la délicatesse, de la douceur aimable et du sentiment religieux populaire, loin de la dureté de **Ribera** et de l'austérité de **Zurbarán. Murillo** peint la croyance populaire; ses personnages, ses vierges, ses enfants, ses saints, sont impregnés d'un mysticisme familier qui transparaît dans toute son œuvre. D'où le grand succès qu'il connut à son époque; mais c'est aussi un bon artiste aux couleurs délicates et au dessin parfait; homme simple et bon, de condition modeste, qui passa la plus grande partie de sa vie à Séville, sans connaître la cour ni entreprendre aucun voyage en Italie. La clientèle de **Murillo** ce sont les couvents, singulièrement l'ordre franciscain, pour qui il a composé la plus grande partie de son œuvre. Il n'est pas comme **Vélasquez** préoccupé par le problème de la lumière; son but est de mettre en relief les personnages sur lesquels il centre toute son attention. De ce peintre nous verrons dans cette salle les tableaux suivants:

N.º 962, *Le Bon Pasteur* (Pl. XVI); **n.º 963,** *Saint Jean Baptiste enfant*, et **n.º 964,** *Les enfants du coquillage*, sont trois très beaux tableaux d'enfants, exquis de grâce délicate.

N.º 979, *La descente de la Vierge pour récompenser Saint Ildefonse*, provient de la collection d'Isabelle Farnèse.

A cette même collection appartiennent les trois *Immaculées Conceptions;* **n.º 972,** *L'Immaculée Conception de El Escorial;* **n.º 974,** *L'Immaculée Conception d'Aranjuez*, et **n.º 2809,** *L'Immaculée Conception de Soult*, que le maréchal Soult enleva de Séville et qui demeura en France, jusqu'à la suite d'un accord avec le Gouvernement Français, entrant au Prado en 1941. La toile est l'une des plus belles réussites de **Murillo** sur ce thème; elle appartenait à l'Hôpital des vénérables prêtres de Séville en 1678. Nous y voyons la Vierge presqu'enfant, revêtue d'une robe blanche et d'un manteau bleu, qui monte au ciel entourée de nuages dorés et de visages de séraphins. L'*Immaculée Conception*, sujet préféré de **Murillo,** est ici peinte de délicates couleurs et c'est l'une des réussites de **Murillo.**

N.º 978, *L'Apparition de la Vierge à Saint Bernard*, qui morient de la collection d'Isabelle Farnèse.

N.º 995 et **994,** *Le songe du patricien* est fait de

deux grandes toiles peintes pour l'église de Sainte-Marie-la-Blanche, de Séville, en 1664.

N.° 2845, *Chevalier avec rabat* (Pl. 42); le dernier portrait, peut-être, fait par **Murillo.**

SALLE XXIX.—ÉCOLE ESPAGNOLE XVIIe SIÈCLE

José Antolínez, peintre de l'école de Madrid (1635-1675), fut peut-être l'élève de **Francisco de Rizi.** C'est un bon coloriste, peintre de compositions religieuses, dont nous avons ici quelques exemplaires: **n.° 591,** *La mort de la Madeleine* (Pl. 43), entré au Musée en 1829, et *La Vierge de la Conception*, actuellement au rez-de-chaussée, qui est une œuvre meilleure encore.

Viennent ensuite trois tableaux sur des sujets religieux destinés à un autel et peints par **Claudio Coello** (1642-1693), peintre qui appartenait à l'école madrilène, en compagnie de **Carreño de Miranda, Mazo, Rizi, Cerezo, Herrera el Mozo** et **Antolínez.**

Peintre de la cour de Charles II, **Coello** fut avant tout un bon portraitiste. C'est un artiste complet qui apporte une égale maîtrise dans la peinture à la fresque, le portrait et la peinture décorative. Nous voyons ici trois toiles où se note l'influence flamande, surtout dans la composition, pleine de détails accessoires, qui le situe dans la ligne du baroque.

N.° 664, *Le triomphe de Saint Augustin*, datant de 1664, et qui provient des Religieux Augustinos Recoletos, d'Alcalá d'Henares.

Puis, **n.° 660,** *La Vierge et l'Enfant entre les Vertus théologales et les Saints.*

Enfin, **n.° 661,** *La Vierge et l'Enfant adoré par*

Saint Louis, Roi de France, tableau acheté par Charles III au Marquis de l'Ensenada.

Francisco de Herrera «le Jeune» (1622-1685), fils du peintre **Herrera «le Vieux».** Le premier résida six ans en Italie et revint influencé par le baroque. Ses tableaux sont pompeux et réflètent le caractère vaniteux de leur auteur, comme celui que nous avons sous les yeux: **n.º 833,** *Le triomphe de Saint Herménégilde* (Pl. 44), destiné au grand autel du couvent des Carmélites déchaussées de Madrid.

Juan Carreño de Miranda (1614-1685) est le disciple de **Vélasquez;** nous voyons les portraits, **n.º 642,** du *Roi Charles II* (Pl. 45); **n.º 644,** *La Reine Marianne d'Autriche* (Pl. 46), mère du Monarque, et le **n.º 650,** *Duc de Pastrana,* tous trois bien conçus, très réels et peints correctement.

Nous trouvons ensuite, **n.º 2806,** *Le miracle du puits,* basé sur un moment de la vie de Saint Isidro Laboureur, peint pour l'église de Sainte-Marie par **Alonso Cano,** architecte, sculpteur et peintre, camarade de **Vélasquez,** artiste de conditions extraordinaires, qui vécut de 1601 à 1667.

P. Núñez de Villavicencio (1644-1700), artiste andalou qui suit l'enseignement de **Murillo,** sans atteindre à sa maîtrise. **N.º 1235,** *Jeux d'enfants.* Le tableau, qui représente des gamins en train de jouer, rappelle beaucoup **Murillo,** mais il n'a pas la grâce que **Murillo** donnait aux siens; postérieurement le tableau fut agrandi par le haut pour avoir les mêmes dimensions que celui avec lequel il devait former un couple. Ce dernier travail est, pense-t-on, de l'artiste italien **Lucas Jordán.**

Mateo Cerezo (1626-1666) est aussi un peintre appartenant à l'école de Madrid. C'est un artiste complet, bon coloriste, qui accorde beaucoup d'attention à la beauté et à l'élégance de la forme. Nous avons ici deux de ses œuvres sur sujets religieux: **n.º 658,** *L'Assomption de la Vierge*, dont il faut remarquer la sobriété, et **n.º 659,** *Les fiançailles mystiques de Sainte Cathérine*, peint en 1660, acheté par Ferdinand VII, et dont il existe une réplique dans la cathédrale de Palencia.

Enfin, le **n.º 980,** *Saint Augustin entre le Christ et la Vierge*, par **Murillo.**

SALLE XXX.—LE GRECO

Voyez la description qui suit aux Salles X et XI.

SALLE XXX A

Cette salle, de création récente, a été consacrée dans sa totalité aux peintres du XVIIe siècle, appartenant à l'école espagnole.

N.º 1158, *Inconnu*, par **Luis Tristán.**

N.º 3058, *Saint décapité*, par **Francisco Herrera el Viejo.**

N.º 3077, *Saint Béda, le Vénérable*, par **Bartolomé Román.**

N.º 1034, *Inconnu*, par **Pantoja.**

N.º 1065, *St. Jean et St. Mathieu*, par **Ribalta.**

N.º 3004, *Portrait de sa mère*, par **Antonio Puga.** Prise de face, assise dans une pièce meublée de telle façon que l'on ait une ambiance de Galice.

N.º 1062, *Saint François réconforté par un ange musicien*, de **Ribalta.** Nous notons les caractères de son art, la qualité de sa couleur, les effets de lumière dans la pénombre, et le visage du saint qu'il a voulu représenter sans souci de la beauté, mais avec réalisme. Charles IV avait acheté cette toile à une communauté de capucins de Valence en 1801, et après être demeurée au Palais d'Aranjuez, elle entra au Musée du Prado.

Du madrilènè **Fray Juan Rizi de Guevara** (1600-1681), appelé le **Zurbarán** castillan, nous voyons le **n.º 2510,** *Saint Benoît benissant un pain.*

N.º 2510, *St. Benoît bénissant le pain,* par **Rizi.**

N.º 2595, *Chevalier,* de **Maino.**

N.º 2802, *Nature morte,* par **Felipe Ramírez.**

N.º 2441, *St. Bonaventure demande l'habit franciscain,* par **Francisco Herrera el Viejo.**

N.º 1037, *La Reine Isabelle de Bourbon* (Pl. 39), première femme de Philippe IV, magnifique portrait d'auteur anonyme, que nous pouvons classifier dans l'école madrilène vers 1620.

N.º 1164, *Nature morte,* par **Van der Hamen.**

N.º 3080, *St. Jacques le Jeune,* par **Antonio Arias.**

N.º 2600, *La cène de Saint Benoît.*

N.º 3079, *St. Thomas Apôtre,* par **Antonio Arias.**

N.º 2836, *Sainte Monique;* **n.º 2837,** *Sainte pleurante,* et **n.º 1158,** *Vieillard,* par **Luis Tristan** (†1624).

N.º 593, *Vase à fleurs* d'**Arellano.**

N.º 2833, *Le Frère Lucas Texero,* devant le cadavre du vénérable Père Bernardin d'Obregón, d'un peintre anonyme espagnol, daté de 1627. Le vénérable Père gît, étendu mort sur le sol. Derrière, debout et vu a mi-corps, le Frère Texero le montre. Il porte le grand cordon de la confrérie et tient dans sa main gauche le livre «Prière nouvelle et Cantique nouveau en l'honneur de la Couronne de Notre Dame».

N.º 1165, *Fruitier,* de **Van der Hamen.**

N.º 592, *Vase à fleurs,* d'**Arellano.**

SALLE XXXI

Il s'agit réellement d'un couloir qui fait le tour de la cour intérieure et la salle circulaire de **Goya,** consacré à des peintres de l'école italienne, espagnole et française du XVIIe siècle et milieu du XVIIIe.

En premier lieu, les portraits **n.º 2329,** *Philippe V*, et **n.º 2330,** *Isabelle Farnèse*, épouse de l'antérieur, tous deux de **J. Ranc,** peintre français (1674-1735), De la même école il y a plusieurs tableaux de paysages de **J. Vernet** (1714-1789); **n.º 2289,** *Saint Jean Baptiste*, de **Pierre Mignard** (1612-1693); **n.º 2325,** *Un vase*, par **F. Pret; n.º 2242,** *Bataille*, et **n.º 2243,** *Scaramouche*, de **J. Courtois,** appelé le «Bourguignon» (1621-1676), et **n.º 2883,** *Le Colisée*, par **Hubert Robert** (1733-1808).

Vicente López Portaña (1772-1850) est un bon disciple de **Maella,** peintre de salon, il retient vivement les contrastes de la couleur et les traits des figures, et il exagère les floritures et détails des vêtements et des coiffures, ce qui fait que ses portraits soient chargés et de couleurs tranchantes. Nous voyons ici, comme exemples que le témoignent, plusieurs portraits de personnages royaux:

N.º 870 B, *La Reine Doña María Cristina de Bour bon;* **n.º 870,** *Le Colonel Don Juan Zengotita Bengoa;* **n.º 870 A,** *Ferdinand VII;* **n.º 867,** *La Reina Doña Maria Josefa Amalia;* **n.º 869,** *Doña María Isabel de Braganza;* **n.º 2690,** *Le Frère Tomás Gasco;* **n.º 2558,** *Madame de Carvallo;* **n.º 868,** *Doña María Antonia de Bourbon*; et **n.º 866,** *L'Infant Don Antonio.*

Luis Eugenio Meléndez ou **Menéndez**, surnommé *le Chardin espagnol* (1716-1780), spécialiste de natures mortes, dont nous voyons ici un nombre considérable, toutes soigneusement peintes et composées.

D'**Antonio Carnicero** (1748-1814), peintre de la fin du XVIIIe siècle, **n.° 2649,** le portrait de *Doña Tomasa Salcedo Aliaga*, et **n.° 641,** *L'ascension d'un ballon à Madrid*, tableau curieux qui nous donne d'intéressants renseignements sur la manière de se vêtir de l'époque.

De **Dominico Tiépolo** (1727-1804), peintre vénitien, fils du décorateur Giovanni Battista, nous avons trois toiles qu'il peignit en 1722 pour l'église de San Felipe Neri: **n.° 358,** *Le Christ sur le chemin du Calvaire;* **n.° 359,** *La spoliation*, et **n.° 362,** *L'enterrement du Christ;* les autres tableaux appartenant à cette collection se trouvent à l'Étage Supérieur du Musée.

De **Corrado Giaquinto** (1700-1765), peintre italien, plus décorateur que peintre, nous voyons les toiles suivantes: **n.° 108,** *La descente de croix du Christ;* **n.° 105,** *Le sacrifice d'Iphigénie;* **n.° 106,** *La bataille de Clavijo;* **n.° 107,** *La prière du jardin*, et **n.° 103,** *Naissance du soleil.*

Viennent après plusieurs tableaux de l'artiste, italien aussi, **G. Panini** (1692-1765).

De **Mariano Salvador Maella** (1739-1819), né à Valence, nous voyons cinq de ses peintures simples et un peu douceâtres, dans le goût du temps et où l'on retrouve l'influence de **Rafael Mengs,** quatre d'entre elles représentent les saisons de l'année; **n.os 2497-2500** , et l'autre est une *Marine*, **n.° 873.**

Deux portraits d'**Augustin Esteve** (1753-1820), valencien aussi: le **n.° 2581,** *Doña Joaquina Téllez Giron*, fille des Ducs d'Osuna, et le **n.° 2876,** *Don Mariano San Juan y Pinedo*, portrait d'enfant, bien réalisé et très beau. Il y a, en outre, plusieurs tableaux de peintres secondaires.

El Buen Pastor.—The Good Shepherd.—Le Bon Pasteur.—Der gottliche Hirte.—Il Buon Pastore

La Reina Artemisa.—Queen Artemis.—La Reine Artémise.—Die Königin Artemisia.—La Regina Artemisa

ANONIMO HISPANO-FLAMENCO (Final del siglo XV) **N.º 710**

La degollación del Bautista.—The Beheading of Saint John Baptist.—La Décapitation de St.-Jean-Baptiste.—Die Enthauptung Johannes der Taufer.—La Decapitazione di S. Giovanni Battista

LÁM. 34

**San Pedro Mártir en oración.—The Martyr Saint Peter at Prayer.
St.-Pierre Martyr en prière.—Der heilige Petrus Martyr im Gebet.
S. Pietro Martire in preghiera**

Cristo bendiciendo.—Christ blessing.—Jésus-Christ donnant sa Bénédiction.—Christus segnend.—Gesù Cristo mentre benedice

La Virgen de los Reyes Católicos.—The Virgin of the Catholic Sovereigns. La Vierge des Rois Catholiques.—Die Jungfrau der Katholischen Könige. La Madonna dei Re Cattolici

La Adoración de los Magos.—The Adoration of the Magi.—L'Adoration des Mages.—Die Anbetung der Könige.—L'Adorazione dei Re Magi

La Reina Isabel de Borbón, mujer de Felipe IV.—The Queen Isabella de Bourbon.—La Reine Isabelle de Bourbon.—Die Königin Elisabeth von Bourbon.—La Regina Isabella di Borbone, sposa di Filippo IV

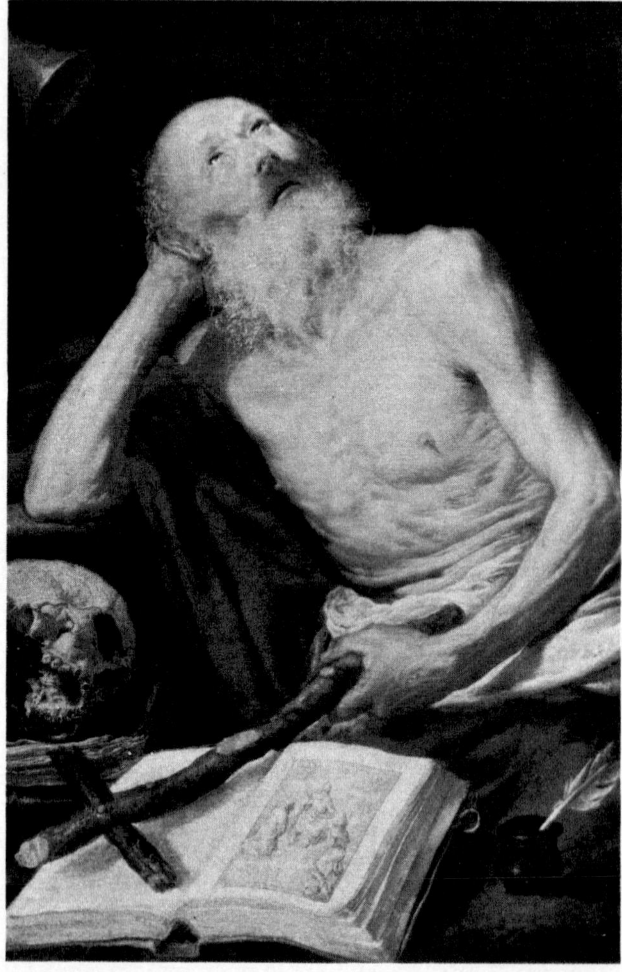

San Jerónimo.—Saint Jerome.—St.-Jérôme.—Der heilige Hyeronymus. S. Gerolamo

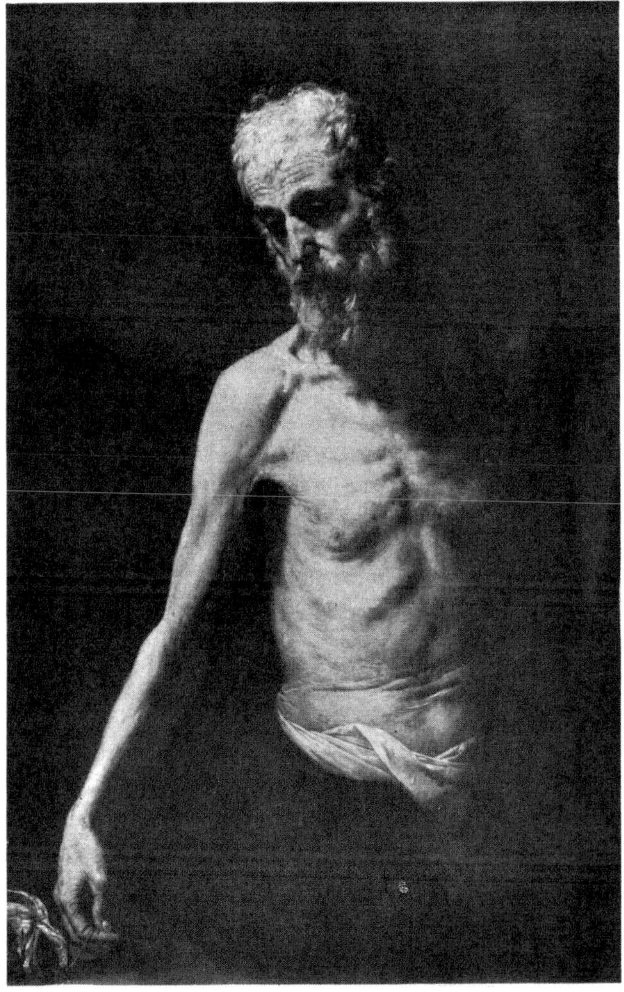

San Andrés.—Saint Andrew.—St. André.—Der Heilige Andreas.—S. Andrea

Caballero de Golilla.—Gentleman's portrait.—Le chevalier de rabat. Bildniseines Edelmannes.—Il Cavaliere di Golilla

Tránsito de la Magdalena.—The Assumption of Mary Magdalen.—Passage de la Madeleine.—Maria Magdalenas Himmelsfahrt.—La salita in Cielo di Maria Maddalena

Apoteosis de San Hermenegildo.—The Triumph of St. Hermenegild. Le triompho de St.-Herménégilde.—Triumph des heiligen Hermenegildus.—Apoteosi di S. Ermenegildo

Retrato de Carlos II.—Charles II's portrait.—Charles II.—Karl II. Ritratto di Carlo II

Retrato de Doña Mariana de Austria.—Portrait of the Queen Mariana of Austria.—La Reine Marianne d'Autriche.—Die Königin Marianne von Österreich.—Ritratto di Marianna d'Austria

Retrato del Infante D. Carlos María Isidro.—Portrait of the Infant D. Carlos María Isidro.—L'Infant D. Carlos María Isidro.—Bild des Infanten D. Carlos María Isidro.—Ritratto dell'Infante Carlo María Isidro

Doña Tadea Arias de Enríquez

N.º 741 *GOYA (1746-1828)*

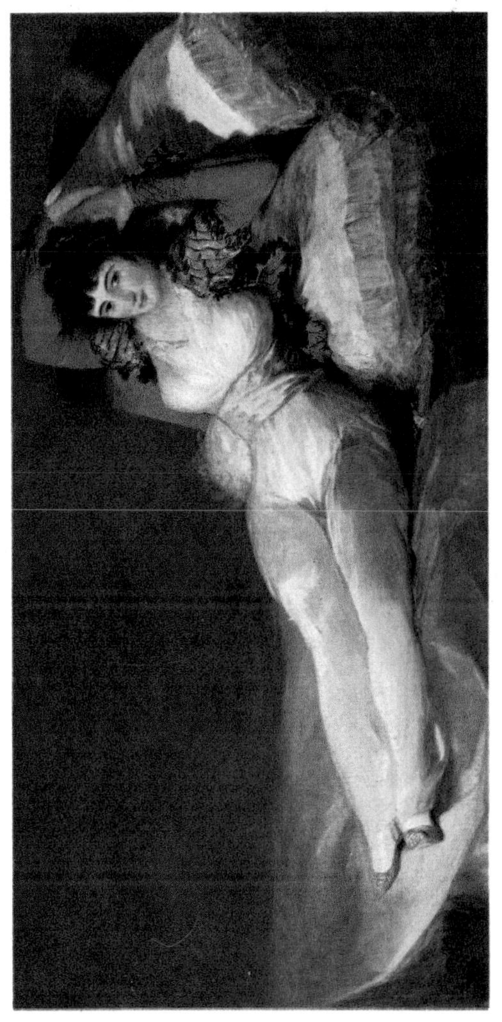

La maja vestida

LÁM. XVII

General Ricardos

La Maja desnuda.—The «Maja» naked.—La «Maja» nue.—Die unbekleidete «Maja».—La «Maja Desnuda»

Louis XVI

La Infanta Doña Ana Victoria de Borbón

El Parnaso.—The Parnassus.—Le Parnasse.—Der Parnass.—Il Parnaso

La Purísima Concepción.—Immaculate Conception.—L'Immaculée Conception.—Die unbefleckte Empfägnis.—L'Immacolata Concezione

Carlos III comiendo ante su corte.—Charles III at Meal.—Charles III déjeunant devant sa cour.—Karl III speist in Genenwart seines Hofes.—Carlo III mentre sta mangiando dinanzi alla Corte

Retrato del pintor Goya.—A portrait of Goya.—Portrait du peintre Goya. Bildnis Goyas.—Ritratto del pittore Goya

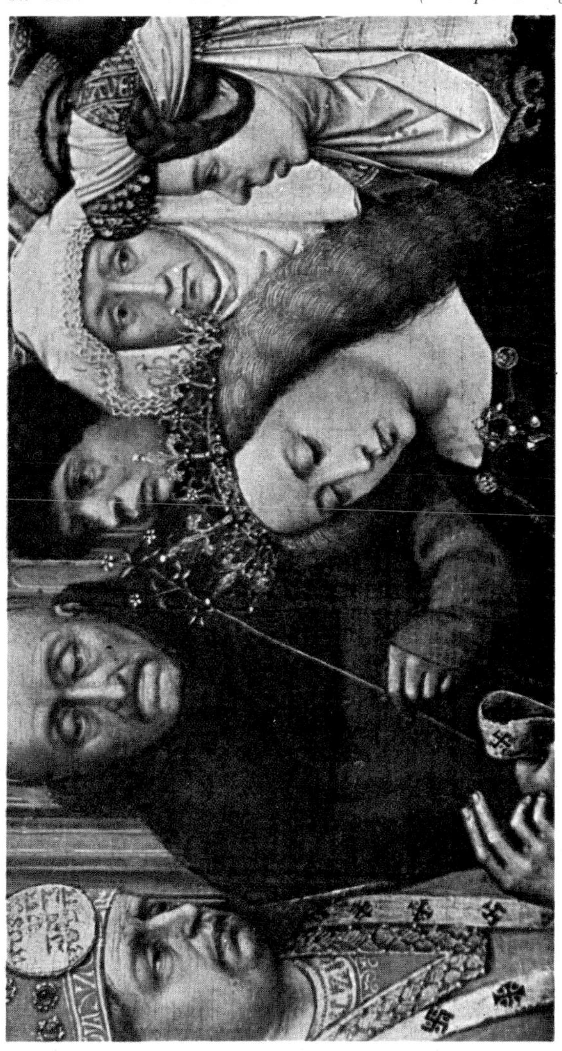

Los desposorios de la Virgen.—The Marriage of the Virgin.—Le Marriage de la Vierge.
Die Vermahlüng der heiligen Jungfrau.—Lo Sposalizio della Madonna

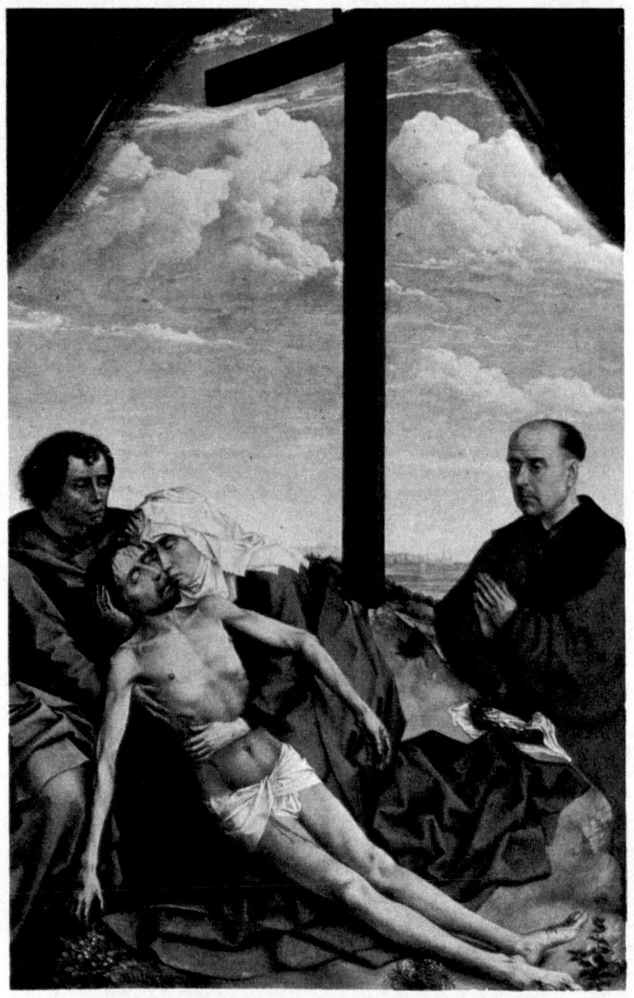

La Piedad.—Pieta.—La Piété.—Das Mitleid.—La Pietà

El Descendimiento de la Cruz (detalle).—The Descending of the Cross. La Descente de Croix.—Die Kreuzabnahme.—La Deposizione dalla Croce.

La Natividad.—The Nativity.—La Nativité.—Die Geburt Jesu.—La Nascita di Gesù

Descanso en la huida a Egipto.—The Rest on the Flight into Egypt.—Repos dans la fuite en Egypte.—Ruhe auf der Flucht nach Aegypte.—Sosta durante la Fuga in Egitto

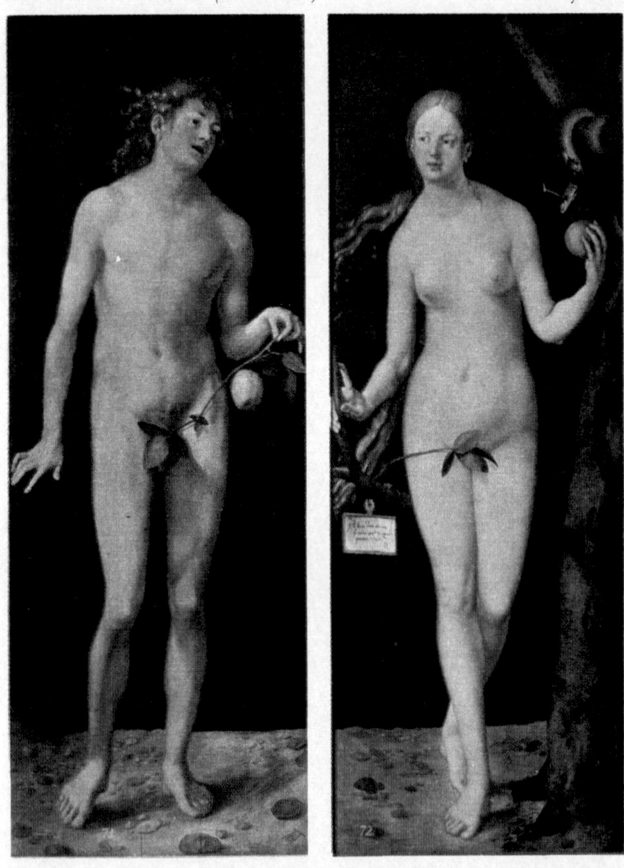

Adán y Eva.—Adam and Eve.—Adam et Eve.—Adam und Eva.—Adamo et Eva

El Jardín de las Delicias (detalle).—The Garden of the Delights.—Le Jardin des Délices.—Der Garten der Vergnügen.—Il Giardino delle Delizie

Entierro de San Esteban.—Saint Stephen's burial.—Enterrement de St.-Etienne.—Beerdigung des heiligen Stephans.—La sepultura di S. Stefano (?)

General Urrutia.—Bildnis des Generals Urrutia.—Il Generale Urrutia

SALLE XXXII.—GOYA

Les œuvres de **Goya** ont été distribuées méthodiquement en dix salles, en total: neuf salles successives au Rez-de-chaussée de l'édifice, et celle-ci, è l'Étage Principal, qui est une suite naturelle de la visite à la Galerie Centrale, consacrée aux peintres espagnols.

Le peintre **Francisco de Goya** (1746-1828) est un des cas les plus singuliers de la peinture espagnole du XVIIIe siècle, laquelle, après s'être élévée si haut dans les siècles précédents, était alors tombée en pleine décadence. Les artistes espagnols étaient alors victimes de l'académisme et de formules mille fois répétées. Quand tout semblait perdu, apparaît **Goya,** aragonais, d'une personnalité extraordinaire, qui relève jusqu'aux cimes la peinture espagnole.

Doué d'une étonnante vitalité, il compose une œuvre immense; tout l'attire et il peint tout. Le peintre contemporain de **Anton Rafael Mengs,** qui lui fournit d'abord du travail, de **Francisco Bayeu,** dont il épousera une sœur, montre très vite sa forte originalité. Comme **Vélasquez,** il se rend en Italie, il échoue dans des concours, il s'ouvre difficilement un chemin dans la carrière artistique. Il nous faut classer cette œuvre immense. D'abord **Goya,** portraitiste, puis le peintre historique, l'auteur des scènes de mœurs, des visions de la dernière époque et le dessinateur.

Dans cette salle nous voyons l'un des meilleurs portraits de **Goya.** Il s'agit de *La famille de Charles IV*, **n.º 726,** peint à Aranjuez en 1800, et qui du Palais Royal de Madrid vint au Prado. Nous remarquons una technique qui l'apparente au **Vélasquez** des *Ménines*, sans qu'il atteigne la même perfection. Le groupe ressemble à une photographie de famille. Au premier plan se détache le couple royal, suivi des infants et infantes et des petits-enfants, soit au total 13 personnes. Plus que le dessin, c'est la couleur fraîche et brillante qui frappe l'œil. Il semble que nous vivons la scène; les visages réflètent les défauts et les qualités des personnages, et plus leurs vices que leurs qualités. Peut-être y-a-t-il là une force d'expression démesurée et une ironie assez marquée.

Sur les murs de droite et de gauche, les portraits équestres de la *Reine Marie Louise*, **n.° 720,** et du *Roi Charles IV*, **n.° 719,** qui furent peints pour décorer les appartements du Palais Royal en 1799.

Puis, des ébauches des personnages du tableau de la *Famille de Charles IV:* **n.° 729,** celui de l'*Infante Marie Josèphe;* **n.° 730,** celui de l'*Infant Don Francisco de Paula;* **n.° 731,** *Don Carlos María Isidro* (Pl. 47); **n.° 732,** de *Don Luis de Borbon,* et **n.° 733,** celui de *Don Antonio Pascual.*

Ensuite un portrait, **n.° 734,** tout de finesse, de l'acteur *Isidore Máiquez*, et **n.° 722,** celui de *Josèphe Bayeu de Goya* ?, épouse du peintre.

N.° 2448, *La Marquise de Villafranca*, Doña Tomasa Palafox, fille de la Comtesse de Montijo; **n.° 740,** *Doña Tadea Arias de Enríquez* (Pl. 48), beau portrait aux tons d'un gris merveilleux; **n.° 2449,** *Le Duc de Alba;* **n.° 2450,** *Don Manuel Silvela*, portrait parfait et armonieux; le superbe portrait **n.° 2784,** *Le Général Ricardos* (Pl. 49), et le **n.° 721,** *Francisco Bayeu*, beau-frère de Goya, peint en 1795, peu avant sa mort. C'est un portrait merveilleux, le meilleur de tous ceux qu'il fit, sans aucun doute; pleinement réussi dans sa couleur grise, où il arrive à s'abstenir d'employer le vermillon; même la préparation de la toile, il l'a fait d'un gris rougeâtre; la figure, sans aucune tache, et où ressortent vivement les yeux, apparaît à pleine lumière. Merveilleux par la précision de ses coups de pinceau.

De chaque côté de la porte se trouvent deux des tableaux les plus célèbres et populaires de ce génie de la peinture: le **n.º 741,** *La «maja» vêtue* (Pl. XVII), et **n.º 742,** *La «maja» nue* (Pl. 50), tableaux dont la légende s'est emparée pour identifier le modèle souvent au gré de la fantaisie populaire. Les deux furent peintes entre 1797 et 1798, et restèrent longtemps dans une collection, propriété de Godoy, sous le nom des *Gitanes.* Elles demeurèrent un certain temps à l'Académie de San Fernando et entrèrent définitivement au Prado en 1901.

Il faut écarter la thèse que la Duchesse d'Albe servit de modèle, mais bien plutôt une femme du peuple, qui incarnait la beauté féminine de cette époque. Il est vrai que les traits du visage ressemblent étonnamment à ceux de la Duchesse, mais une étude exhaustive de l'ancien Directeur du Musée du Prado, M. Sotomayor, a démontré que la tête ne s'adapte pas à la gorge du personnage, ce qui laisse penser qu'elle a été surajoutée une fois que le corps fut peint. La technique est sensiblement différente dans les deux tableaux. Le nu est très étudié, peint à petites touches et semble un émail; l'autre est un travail plus hâtif, fait de larges coups de brosse. Au nu vont nos préférences, tant le corps est de délicates proportions et le modèle d'une rare perfection. Les tons gris dominent dans les deux tableaux. Nous sommes en présence des deux tableaux les plus populaires de cet artiste génial et nous ne savons pas «si más vestida cuanto más desnuda» ou «más desnuda cuanto más vestida».

Enfin, nous voyons le portrait **n.º 736,** *Le Général Urrutia* (Pl. XVIII); la Croix de Saint-Georges qu'il porte, lui fut octroyée par Cathérine de Russie en 1789. Portrait magnifique par son réalisme.

SALLE XXXIII.—PEINTURE FRANÇAISE

Dans cette salle minuscule, servant de passage à la Salle XXXIV, on voit un grand portrait, **n.° 2238** (Pl. 51), entouré d'un cadre doré fastueux, de Louis XVI, peint par **A. F. Callet,** peintre français (1741-1825), présent du propre Roi à l'Embassadeur espagnol Comte d'Aranda, en 1783.

SALLE XXXIV.—PEINTURE FRANÇAISE (Suite.)

Dans cette salle sont, surtout, représentés les peintres français qui travaillèrent à la Cour espagnole.

La peinture française, moins réaliste que la peinture espagnole, cherche son inspiration dans un classicisme érudit et est excessivement préocupée du sujet et du sentiment à exprimer. **Poussin, Watteau, Mignard, Van Loo, Claude Lorrain** et bien d'autres, nous offrent des compositions bien équilibrées, légères parfois, mais toujours aristocratiques, avec d'ailleurs, un sens souvent merveilleux de la couleur et du dessin.

Le **n.° 2283,** *La famille de Philippe V*, datée en 1743 et signée de son auteur, **Louis Michel Van Loo** (1707-1771), présente les caractéristiques de l'époque bourbonienne: luxe fastueux, pompe et affectation exagérés. Les membres de la famille royale sont peints dans des attitudes guindées, avec des visages sans expression. L'ensemble est surchargé, froid, pauvre de couleur et ne peut se comparer avec les tableaux que **Vélasquez** et **Goya** nous ont laissé sur de tels sujets.

De **Jean Ranc** (1674-1735), peintre protégé aussi par Philippe V, qui vécut plusieurs ans en Espagne, où il mourut, nous voyons plusieurs portraits de personnages royaux.

N.º 2333, *Ferdinand VI, enfant;* **n.º 2334,** *Charles III, enfant;* **n.º 2335,** portrait de *Ferdinand VI,* quand il était Prince des Asturies; **n.º 2332,** *Louise Isabelle d'Orléans,* Reine d'Espagne, et **n.º 2376,** *La famille de Philippe V.*

Nicolás Largillière (1656-1746), bon portraitiste que l'on a surnommé le **«Van Dyck»** français, est représenté par le **n.º 2277,** portrait de l'*Infante Anne Marie Victoire de Bourbon* (Pl. 52), œuvre fine et délicate.

Michel Ange Houasse (1680-1730) est le premier peintre privé de Philippe V; nous voyons le **n.º 2387,** beau portrait de *Louis I, enfant,* parfaitement réussi, à des tonalités grisâtres, qui font penser à des influences de **Vélasquez,** et le **n.º 2269,** *Vue du Monastère de El Escorial.*

N.º 2358, *Portrait de Doña María Amelia de Sajonia,* par **Louis Silvestre,** et **n.º 2350,** *Marine,* petit tableau de **Vernet.**

SALLE XXXV.—PEINTURE FRANÇAISE (Suite.)

Nicolás Poussin, normand d'origine (1594-1665), considéré comme le meilleur peintre de son temps et le plus philosophe des peintres français, étudie avec ferveur l'art classique, où il puisse ses sujets et ses personnages. Ses œuvres ont une solidité parfaite, il ordonne ses compositions autour d'une idée principale. Il emprunte à la campagne romaine ses paysages grandioses, il recrée la nature comme s'il s'agissait d'une architecture immense. Peintre académique, influencé **Raphaël,** il est doué d'un grand sens poétique qui transparaît parfois dans sa couleur.

Nous voyons de ce peintre, le **n.º 2320,** *La chasse de Méléagre ou le triompe d'Enée*, considéré comme l'un des meilleurs tableaux de **Poussin,** où il faut noter les qualités du dessin et de la couleur, ainsi que le mouvement et l'impression de vie que donnent les personnages; **n.º 2308,** *Un paysage de la Rome ancienne;* **n.º 2307,** *Paysage;* **n.º 2310,** *Pays accidenté et boisé*, et **n.º 2322,** *Polyphème et Galatée.*

D'un disciple de **Poussin,** le **n.º 2319,** *Paysage avec Diane endormie.*

Pierre Mignard (1612-1693) est un bon disciple de **Vouet,** considéré comme un des meilleurs portraitistes français; nous avons ici le portrait **n.º 2291,** *L'Infante Marie Thérèse d'Autriche.*

N.ºs 2353 et **2354,** les deux seuls tableaux que le Musée possède de **J. A. Watteau** (1684-1721): *Contrat de mariage et bal champêtre*, et *Fête dans un parc.* La technique de **Watteau** est subtile. Elle annonce par certains aspects l'impressionisme. C'est le fidèle interprète des fêtes galantes, des plaisirs mondains et des idylles bucoliques.

N.º 2259, *La Madeleine repentante*, de **Claude Lorrain** (1600-1682), peintre de paysages spiritualisés et impregnés de classicisme.

En outre, plusieurs portraits royaux, **n.º 2343,** *Louis XIV*, et **n.º 2337,** *Philippe V*, tous deux de **Rigaud** (1659-1743), et d'autres moins importants.

SALLE XXXVI.—PEINTURE FRANÇAISE (Suite.)

N.º 2312, *La bacchanale;* **n.º 2318,** *Scène bacchique;* **n.º 2313,** *Le Parnasse* (Pl. 53); **n.º 2311,** *Le triomphe de David*, et **n.º 2317,** *Sainte Cécile;* tous les cinq de **N. Poussin,** tableaux qui témoignent ses conditions et qualités, conçus sous un sens poétique, même dans la couleur.

La bacchanale, composé de 1632 à 1636, provient de La Granja, et il fut de la propriété de Philipe V. Œuvre rationaliste, dont les personnages sont parfaitement modelés, mais où l'on note trop de recherche dans la composition sans la vie et cette exubérance que l'on trouve dans les bacchanales du **Titien.**

De **Claude Lorrain** (1600-1682) nous avons les **numéros 2254,** *Paysage avec l'embarquement à Ostie de Sainte Paula Romana;* **2255,** *Paysage avec l'Archange Raphaël et Tobie;* **2253,** *Paysage: Moïse sauvé des eaux;* **2252,** *Paysage: Enterrement de Sainte Sérapie.*

Sans numéro, *Les Plaisirs et le Temps* de **Simon Vouet** (1590-1649), et le **n.º 2240,** *Louis XIII de France,* par **Champaigne** (1602-1674).

Il y aussi dans ces salles trois sculptures équestres de Louis XIV, de Philippe V, et d'un prince inconnu, œuvres d'auteur anonyme.

SALLE XXXVII.—PEINTRES ITALIENS DU XVIe ET XVIIe SIÈCLES

N.º 86, *Le voyage de Jacob;* **n.º 88,** *Diogène cherchant un homme;* **n.º 87,** *Concert,* et **n.º 94,** *Expulsion des marchands du temple,* par **Benedetto Castiglione,** peintre et graveur (1616-1670).

N.º 144, *Lot et ses filles,* toile assez inégale du peintre florentin **Francesco Furini** (1600-1646).

N.º 65, *David vainqueur de Goliat,* attribué à **Michel Angelo Americhi «il Caravaggio»** (1560-65 à 1609), et le **n.º 246,** *Sainte Marguerite ressucite un garçon,* œuvre de **Giovanni Serodine.**

N.º 327, *Le peintre Andrea Sacchi, portrait par* **Carlo Maratti** (1625-1713).

N.º 326, portrait de *Francisco Albani*, par **Andrea Sacchi.**

N.º 201, *Suzanne et les vieillards*, provenant du Monastère de l'Escorial, œuvre de **Francesco Barbieri, «il Guercino»,** peintre d'école italienne (1591 à 1665).

Enfin, le **n.º 145,** *Intérieur de la basilique de Saint-Pierre, à Rome*, par l'architecte et peintre **Philippe Gagliardi,** et le **n.º 210,** *La Vierge à la Chaise*, de **Guido Reni.**

SALLE XXXVIII.—PEINTURE ITALIENNE (Suite.)

Sont exposées ici des œuvres italiennes du XVIIe s. Elles réflètent l'imitation des grands maîtres et la personnalité de leurs auteurs n'apparaît que bien rarement. Mais la technique est parfaite, malgré l'absence d'originalité.

La plus importante figure de ce groupe est **Guido Reni,** peintre bolonais (1575-1642), accusé d'avoir falsifié **Caravaggio,** artiste cultivé, homme élégant dont la vie se déroule à une époque turbulente de luttes et de pièges; peintre connaissant bien son métier, qui nous a laissé quelques tableaux de sujets religieux, beaux et bien peints, quoique ils soient suaves et maniérés; nous en avons le **n.º 211,** *Saint Sébastien*, sujet qu'il répète plusieurs fois; le **n.º 208,** *Mort de Lucrèce*, et le **n.º** 216, *La Madeleine repentante*.

Puis, le **n.º 2475,** *Un ecclésiastique*, par **P. M. Neri** (?) (1601-1661).

N.º 128, *La Piété*, et **n.º 129,** *La flagellation*, tous deux de **Danielle Crespi** (1590-1630), qui suit les traces de l'antérieur, avec un bon étude du nu de la figure du Christ, dont il existe une réplique au couvent des Religieuses Augustines de Salamanque.

Cristo presentado al pueblo.—Christ shown to the people.—Le Christ presenté au peuple.—Christus dem volk gezeigt.—Cristo presentato al popolo

LÁM. XIX

El carro de heno (detalle).—The Hay Wain.—La charrette de foin.—Der Heuwagen.—Il Carro di fieno

N.º 877, *Portrait de lui-même*, par **O. Borgiani** (1578-1616).

N.º 353, *Sainte Cécile jouant de l'orgue*, par **L. Spada** (1576-1622).

N.º 131, *Le sacrifice d'Abraham*, par **Domenico Zampieri, «il Domenichino»** (1581-1641).

N.º 2, *Le Jugement de Paris;* **n.º 1,** *La toilette de Vénus*, sujets mythologiques, par **Francisco Albani,** peintre bolonais (1576-1600); enfin, le **n.º 245,** *Salle du Collège de Venise*, par **Pietro Malombra** (1536-1618), et le **n.º 91,** *Des éléphants au cirque*, par **Castiglione.**

SALLE XXXIX.—ŒUVRES DE TIÉPOLO, BATTONI, PARET, VICENTE LÓPEZ ET D'AUTRES

Giovanni Battista Tiépolo (1696-1770), peintre vénitien et représentant de la tradition coloriste de son pays, vint en Espagne sur les instances de Charles III et décora le Palais Royal de Madrid. Peintre d'une solide technique, brillant coloriste, sachant donner la vie à ses compositions, il vécut ses dernières années en Espagne et nous trouvons dans cette salle quelques tableaux qui ne valent pas ses fresques du Palais Royal: **n.º 363,** *L'Immaculée Conception* (Pl. 54), peinte pour l'église de San Pascual, d'Aranjuez, en 1769; **n.º 365 A,** *Saint François d'Assise recevant les stigmates*, pour la même église; **n.º 364 A,** *Saint Pascal Baylon;* **n.º 2691,** *Délivrance de l'Apôtre Saint Pierre*, et **n.º 364,** *Un ange porteur de l'Eucharistie*, qui devait fournir la partie supérieure du rétable du grand autel de l'église de San Pascual, d'Aranjuez. Toiles claires et lumineuses, d'un riche coloris, et tout imprégnées de la tradition vénitienne.

N.º 2464, *Abraham et les trois anges*, inspiré d'un passage du verset XVIII de la *Genèse;* **n.º 365,** l'*Olympe*, esquisse dont nous ignorons l'auteur. On y voit Jupiter, Juno, Diane, Minerva, Vénus, Mercure et Saturne; **n.º 2900,** *Saint Pascal Baylon*, et **n.º 583,** *Ange à couronne de lis blancs.*

Luis Paret et Alcazar (1746-1799), peintre madrilène, spécialiste de la peinture des fleurs, artiste d'une technique épurée, nous offre de petits tableaux, de facture délicate, peuplés de personnages élégants qui supportent la comparaison avec ceux de **Watteau,** **n.º 2422,** *Charles III déjeunant devant sa cour* (Pl. 55), que l'auteur signa ironiquement en lettres grècques. Il provient du palais de Gatchina, en Russie, et entra tardivement au Prado en 1933, et le tableau intitulé *Bal Masqué*, **n.º 2875,** œuvre remarquable qui fut acquise par le Musée en 1944.

Au plafond de cette salle nous voyons une composition à la détrempe, une allégorie: *Le don du Casino à Isabelle de Braganza*, peint pour le salon du Palais, que le Conseil offrit à la troisième femme de Ferdinand VII en 1818, et après quelques tableaux de **Vicente López Portaña,** peintre dont nous avons parlé en dessus et qui jouissait de la haute faveur de la famille royale. Détachons le **n.º 864,** portrait du *Peintre Francisco de Goya* (Pl. 56), le **n.º 2901,** *Les époux Ugarte.* **N.º 865,** le portrait de *Doña María Cristina de Bourbon*, trop chargé, avec trop de «florituras» dans le vêtement.

Le **n.º 49,** portrait d'un *Chevalier romain*, de **Pompeo Battoni,** peintre italien (1708-1787), et **n.º 2882,** *El Cardenal Don Carlos de Borja*, par **Andrea Procaccini,** peintre italien (1671-1734).

Enfin le **n.º 109,** *Saint Laurent à la Gloire*, de **Corrado Giaquinto** (1700-1765).

En pénétrant dans le vestibule ou rotonde par la droite, nous voyons une porte qui nous conduit aux salles consacrées aux peintres primitifs flamands.

Cinq salles communicantes s'offrent aux regards du visiteur. L'ensemble comprend 75 tableaux de peintres primitifs.

SALLE XL.—LES PRIMITIFS FLAMANDS

Nous pouvons y admirer divers panneaux et tryptiques peints à l'huile en excellent état de conservation. Le brillant et la pureté de la couleur sont surprenants. Le temps n'en a pas altéré l'éclat, malgré leur existence vieille de cinq siècles. C'est une véritable symphonie de couleurs avec des bleux, des verts, des ors et des rouges intenses. Le dessin est d'une qualité insurpassable, d'une précisión minutieuse; rien n'a échappé à la fine observation d'un artiste de cette école, au métier extrêmement sûr. Le plus infime détail architectural, un paysage secondaire, le moindre pli dans une étoffe, tout a été saisi par la rétine de ces grands maîtres, avec un souci du détail qui parfois peut paraître exagéré mais qui ne nuit jamais à la composition. Voilà pourquoi cet art s'est étendu à toute l'Europe, mais les nombreux imitateurs n'atteignirent que rarement le degré de perfection de ces grands artistes. On sait qu'Isabelle la Catholique goûtait beaucoup cette peinture et elle possédait une remarquable collection de primitifs flamands.

N.º 2801, *Le Christ présenté au peuple* (Pl. XIX), l'œuvre la plus importante de **Quintin Metsys** ou **Massis** (1465-1530), contemporain d'**Albert Dürer,**

c'est un tableau d'une qualité très fine et fort bien conservé.

N.º 1461. Un triptyque de **Thierry Bouts** (1420 ?-1475), attribué d'abord à Petrus Christus, et considéré actuellement comme une œuvre des débuts de **Bouts,** représente quatre scènes de caractère religieux: *L'Annonciation*, *La Visitation*, *L'Adoration des Mages* et *L'Adoration des Anges.*

N.ºs 1890 et **1892,** *La monnaie de César*, portes du triptyque *La Rédemption*, par **Van der Weyden** (1400-1464).

N.º 1559, triptyque de l'*Ecce Homo*, attribué au **Maître de la Santa Sangre.**

N.º 1510, *Le Christ entre la Vierge Marie et Saint Jean Baptiste.* Copie des figures de l'autel de San Bavon (Gand, faite sur papier collé sur planche, par **Jan Gossart,** appelé aussi **Jean de Mabuse** (1478-1536).

N.º 1915, *L'Annonciation*, du **Maître de Flémalle,** de ce même auteur, le **n.º 1887,** *Le mariage de la Vierge* (Pl. 57), de couleurs somptueuses, d'une délicatesse de dessin extraordinaire et où se détache le magnifique visage de la Vierge; il peignit aussi les **n.ºs 1514,** *Sainte Barbe*, et **1513,** *Saint Jean Baptiste.*

N.º 1617, *Saint François d'Assise recevant les stigmates*, du **Maître d'Hoogstraten.**

N.º 1511, *La fontaine de la Grâce* ou *Le triomphe de l'Eglise sur la synagogue*, œuvre attribuée aux frères **Van Eyck** ou à des artistes de leur école, provient du monastère de Santa María del Parral (Ségovie); son sujet est tiré de la vision de Sainte Hildegarde, religieuse allemande du treizième siècle. C'est le meilleur exemplaire de la peinture flamande, tant par la composition que par le coloris et la finesse du dessin.

N.º 1921, *La Vierge avec l'Enfant*, par **Petrus Christus** (1473 ?).

N.º 2544, *La Vierge, l'Enfant, Saint Jean Enfant et trois anges,* d'**Isenbrandt** (1510-1551).

N.º 2538, *Moments de la vie du Christ,* triptyque d'auteur **anonyme hispano-flamand.**

N.º 2696, *La Vierge avec l'Enfant,* d'un disciple de **Jan Van Eyck.**

SALLE XLI.—PRIMITIFS FLAMANDS (Suite.)

Cette salle est consacrée à deux peintres parmi les plus éminents de cette époque: **Van der Weyden** et **Memling.**

Nous admirons en premier lieu le **n.º 2540,** *La Piété* (Pl. 58), petit tableau d'émotion religieuse, qui séduit surtout par la luminosité des couleurs si brillantes qu'il semble une œuvre d'exécution toute récente. Il appartenait au Duc de Mandas depuis le milieu du XIXe siècle et entra au Musée du Prado en 1925.

N.º 2825, *La descente de la Croix* (Pl. 59); le Christ mort, les trois Maries et les Saints, en tout dix personnages qui se détachent sur un fond d'or, comme les sculptures d'un retable. Le cadre est de style gothique. C'est une œuvre très estimée que **Van der Weyden** avait peinte vers 1435 pour la chapelle de Louvain. Elle fut acquise par Marie d'Hongrie, sœur de Charles-Quint, et envoyée au monastère de l'Escorial. On sait que Philippe II, enthousiasmé par une telle œuvre, en fit faire une copie par **Michel Coxcie,** qui resta au Musée du Prado jusqu'à ce qu'elle fut remplacée par l'original dont elle prit la place à l'Escorial. C'est sans aucun doute le chef-d'œuvre du peintre, un des monuments de l'art des primitifs flamands. Les attitudes et les visages des personnages qui composent cette scène dramatique sont d'un pathétisme surprenant, sans qu'il y ait recherche ni affectation. Il faut noter que le peintre a agrandi le centre de la partie supérieure pour prolonger la Croix, et qu'il a placé habilement la tête de Joseph d'Arimathie qui descend de la Croix le corps du Seigneur.

N.º 1920, *La Vierge du Lait,* de **Van Orley** (1492-1542).

N.º 2541, *La Visitation de la Vierge è Sainte Isabelle,* de **Jean de Flandes** (**1519**).

N.º 2542, *La Crucifixion,* œuvre de l'école de **Gérard David.**

N.ºs 1888, 1889 et **1891,** *La Rédemption,* triptyque de **Van der Weyden** (1399?-1464), que l'on hésita longtemps à lui attribuer, provient du couvent des Anges, de Madrid. Il a été acquis par le Prado en 1938 et représente la Crucifixion, la Vierge et Saint Jean, sur un fond de temple gothique. Sur les côtés, l'expulsion du Paradis et le Jugement Dernier. En bas, la Résurrection de la chair et la séparation des justes et des réprouvés. C'est une peinture d'un solide métier et d'une grande expression, avec quelques parties intéressantes, plus spécialement le panneau central.

Du peintre **Hans Memling** (1433-1494), on voit le **n.º 1557,** un triptyque représentant différents épisodes de la vie du Christ: la *Nativité* (Pl. 60), l'*Épiphanie,* la *Présentation au Temple.* Cette œuvre appartenait à Charles-Quint et provenait du château d'Atéca. Il entra au Prado en 1847, et ressemble beaucoup à un autre tableau du même artiste qui se trouve à l'hôpital de Bruges, tableau d'une exécution parfaite, d'un coloris et d'un dessin surprenants.

Du même auteur, le **n.º 2543,** *La Vierge et l'Enfant entre deux anges,* planche mal restaurée.

N.º 1886, *La Crucifixion,* œuvre d'un disciple de **Van der Weyden.**

N.º 2700, *Sainte Anne, la Vierge et l'Enfant,* par **Jan de Cock,** peintre des débuts du XVIe siècle.

N.º 1558, *L'Adoration des Rois Mages,* par **Memling,** copie de **Van der Weyden,** et, enfin, le **n.º 2663,** le même sujet, d'un disciple de **Van der Weyden.**

SALLE XLII.—PRIMITIFS FLAMANDS (Suite.)

Nous voyons en premier lieu le **n.º 1943,** la *Messe de Saint Grégoire,* d'**Adriaen Isenbrandt** († 1551).

N.º 1609, *Saint Jacques l'aîné et onze suppliantes;* **n.º 1610,** *Saint Jean l'Évangéliste,* avec deux femmes et deux fillettes agenouillées au premier plan, et le triptyque **n.º 2223,** *L'Adoration des Mages,* par **P. Coecke van Aeslt** (1502-1550).

N.º 2692, *La Sainte Famille,* et **n.º 1932,** *La Vierge avec l'Enfant,* tous deux de **Van Orley** (1492-1542), d'une beauté très expressive, sur un fond de paysage remarquable.

De **Jan Gossart de Maubege,** connu comme **Mabuse** (1478-1536 ?), nous trouvons deux tableaux: le **n.º 1930,** *La Vierge avec l'Enfant,* et **n.º 1536,** *La Vierge de Louvain.* Cette planche, d'attribution douteuse, est une remarquable composition, cadeau de Louvain à Philippe II pour le remercier de l'avoir exempté d'impôts pendant douze ans, comme on peut le lire au dos du tableau. Elle est plus proche du style de **Van Orley** que de celui de **Gossart.**

N.º 2494, triptyque avec *L'Annonciation, Saint Jérôme* et *Saint Jean Baptiste,* du **Maître de la Santa Sangre.**

N.º 1361, triptyque de *L'Adoration des Rois Mages,* d'auteur **anonyme flamand,** et les **n.os 1941** et **1942,** *Sainte Cathérine* et *Sainte Barbe,* portes d'un triptyque peint par le **Maître de Francfort** (1460-1515 ?).

De **Gérard David** († 1523), un des plus grands peintres flamands, qui ferme la série initiée par **Van Eyck,** peintre qui ne connaissait pas un autre contenu dans son art que les sentiment de la piété, nous voyons les tableaux suivants: **n.º 1537,** *La Vierge à l'Enfant;* **n.º 2643,** *Repos au cours de la fuite en Egipte* (Pl. 61), tableau qui provient du legs Bosch et qui est un des meilleurs de la salle, et le **n.º 1512,** *La Vierge avec l'Enfant et deux anges qui la couronnent.*

SALLE XLIII.—PRIMITIFS FLAMANDS (Suite.)

N.º 1616, *Le passage du lac du Styx,* œuvre capitale du meilleur des paysagistes flamands, **Joachim Patinir** (vers 1480-1524), dont le seul souci est d'affirmer ses qualités de paysagiste, au point que dans beaucoup de ses œuvres le thème et l'action ne jouent qu'un rôle secondaire.

N.º 1614, *Saint Jérôme;* **n.º 1611,** *Le repos durant la fuite en Egypte,* et **n.º 1615,** *Les tentations de Saint Antoine,* faite en collaboration avec **Quentin Metzys,** où nous voyons le Saint sur un fond de paysage représentant les rives de la Meuse.

Le **n.º 1612,** *Repos durant la fuite en Egypte,* est attribué à **Henri Patinir,** fils de **Joachim.** Sous ce même titre, nous voyons le **n.º 1613,** attribué à un disciple de **Patinir.**

N.º 2048, triptyque de *L'Adoration des Mages,* par **Hieronymus van Aeken Bosch,** appelé le **«Bosco»** (1450-1516), son chef-d'œuvre du point de vue technique. Ce qui défine le caractère et la personnalité de ce peintre sont des scènes de diablerie très osées; de multiples personnages, minutieusement dessinés, se meuvent dans un désordre fou parmi les espèces animales et végétales les plus diverses.

Sur le triptyque **n.º 2052,** intitulé la *Charrette de foin ou des plaisirs de la chair* (Pl. XX), nous voyons la charrette suivie par le Pape, l'Empereur, le Roi et d'autres dignitaires; puis viennent d'autres hommes qui se hâtent pour atteindre cette charrette des plaisirs, oubliant la phrase de la Bible que la chair est foin.

N.º 2056, *L'extraction de la pierre de la folie;* **n.º 2049,** *Les tentations de Saint Antoine*, et **n.º 2695,** *Un arbalétrier.*

Au centre de la salle, nous voyons, sous le **n.º 1622,** *La table des péchés mortels*, qui provient, elle-aussi, de l'Escorial. Philippe II l'appréciait beaucoup et il donna l'ordre de la placer dans ses appartements privés. C'est une table recouverte d'une plaque de verre, où nous voyons le Christ des Douleurs, entouré en bordure de la représentation des septs péchés capitaux; dans les angles, quatre cercles où sont représentés la Mort, le Jugement, l'Enfer et la Gloire.

N.º 1393, *Le triomphe de la Mort*, de **Brueghel l'Ancien** (1525-1569), est une peinture fort originàle, peut-être le fruit d'un cauchemar macabre, et diffère profondément des œuvres habituelles de cet artiste, ami des fêtes et des plaisirs. Ce tableau, qui a été peint en 1560, est d'un bon coloris et parfaitement composé. Il représente des scènes sur le chemin de la mort. Sur un fond de montagne et d'incendies, et avec une vue sur un paysage représentant la mer, s'enchevêtrent d'innombrables scènes.

N.ºs 2050 et **2051,** *Les tentations de Saint Antoine*, copies du **«Bosco».**

SALLE XLIV.—PRIMITIFS FLAMANDS (Suite.)

Nous y trouvons quatre tableaux d'**Albert Dürer** (1471-1528): **n.º 2179,** *Portrait du peintre par lui même* (Pl. XXI); **n.º 2180,** *Portrait d'un inconnu*, et les nus separés **n.º 2177** et **2178,** d'*Adam* et d'*Eve* (Pl. 62) tous signés par l'artiste de ses initiales. **Dürer** est, avant tout, un magnifique dessinateur et un coloriste, comme le prouvent ses portraits, pleins de vie et finement ciselés dans les moindres détails.

Son *Portrait* par lui-même fut acheté par Philippe IV au cours de la vente aux enchères des biens de Charles Ier en 1686, et entra ensuite au Prado.

Le *Portrait d'un inconnu*, que certains pensent être celui de Hans Imhoff, resemble au précédent par la précision du dessin et par la vigueur du coloris. Il représente un homme au visage sanguin et au regard concentré. Les tableaux représentant *Adam* et *Eve* sont un cadeau de Christine de Suède à Philippe IV; ils étaient auparavant à l'Académie de San Fernando. Œuvre d'un grand intérêt dans l'histoire de la peinture, ils eurent des copies, que l'on trouve à la Galerie des Offices à Florence.

N.º 2182, le *Portrait d'un vieillard*, de **Van Cleve,** que l'on attribue aussi à **Hans Holbein** (1497-1543), est peut-être le portrait de Sébastien Munster. C'est en tout cas une œuvre pleine de force.

Nous pouvons aussi contempler dans cette salle deux scènes de chasse **n.º 2175** et **n.º 2176** peintes par **Lucas Cranach «l'Ancien»** (1472-1553).

Le **n.º 2219,** *L'harmonie* ou *Les trois grâces* et le **n.º 2220,** *Les Ages et la Mort*, proviennent des Collections Royales et sont inférieures aux œuvres précedentes. Elles sont dues au pinceau de **Hans Baldung** († 1545).

N.º 2818, *Christ des douleurs*, de **Isenbrandt** (1510-1551).

N.º 2355, *Une femme avec un Œillet jaune à la main*, par un disciple de **Clouet** (école française).

N.º 2100, *Saint Jérôme*, par **Marinus Reymerswaele** († 1567), école hollandaise.

N.º 2823, le fameux triptyque du «Bosco» appelé *Le jardin des délices* ou *La peinture de l'arbousier* (Pl. 63), est rempli d'allégories les plus divers et de scènes sensuelles. Sur le panneau de droite, la Création; sur celui de gauche, l'Enfer, et sur le panneau central, les plantes les plus variées mêlées aux personnages, dans une véritable sarabande qui se déroule dans un parc sauvage à la végétation extraordinaire. C'est le fruit de la fantaisie exaltée de ce peintre hollandais.

Et, enfin, **n.º 2185,** *Saint Jérôme*, par **Israel van Meckenen,** et **n.º 1541,** *Le chirurgien* par **Van Hemesen** tableau de bonne technique. Divers personnages, vêtus à la mode du XVe siècle, asistent à l'extraction de la pierre de la folie. À noter l'air quelque peu ironique des personnages du second plan.

SALLE XLV.—ESCALIER CENTRAL

Cet escalier, qui nous communique avec le Rez-de-chaussée, a peu d'intérêt. Nous voyons au plafond la toile de la *Mort d'Absalon*, par **Corrado Giaquinto** (1700-1765), qui habita à Madrid de 1753 à 1762.

Sur le mur, deux tableaux du **Titien, n.os 426** et **427,** *Sisyphe* et *Tizius*, de sujet analogue à ceux de **Ribera** (1591-1652), que nous voyons ensuite: **números**

113, *Tizius* condamné à mourir dévoré par les vautours, et **n.º 1114,** *Ixion,* attaché à la roue du tourment, tous deux datés en 1632, constituant un couple.

Au bout de l'escalier: **n.º 125,** *L'Adoration des Rois,* et **n.º 126,** *Deux Rois Mages,* tous deux de **Pedro Berruguete** († 1504).

REZ-DE-CHAUSSÉE

SALLE XLVI.—ÉCOLE FLAMANDE

Cette salle est le passage de l'escalier central aux salles suivantes, où on a installé plusieurs portraits d'école flamande: **n.º 2569,** *L'Infante Isabelle Claire Eugénie,* en buste; **n.º 1499,** *Charles II d'Angleterre,* qui semble avoir ici sept ans environ, réplique ou copie de **Van Dyck.**

Nous voyons ensuite le **n.º 2526,** *Le Comte d'Arundel et Thomas, son petit-fils,* et le **n.º 2565,** *L'Infante Isabelle Claire Eugénie,* veuve; ce portrait, comme le **2569,** précité, sont des copies de **Van Dyck,** dont les originaux sont perdus.

SALLE XLVII

Vestibule de l'entrée par la Promenade du Prado ou Porte de Vélasquez (sans tableaux).

SALLE XLVIII.—GOYA ET BAYEU

Couloir qui nous communique avec l'installation d'œvres de **Goya,** ou nous voyons tout d'abord trois de ses premiers tableaux: **2857,** *Chase* «carton» pour une tapissene, et les figures **n.os 2553** et **2554** d'*Esope* et de *Ménippe,* copies de **Vélasquez,** avec trois autres «cartons»: **n.o 2590,** *Le goûter,* de **Francisco Bayeu** (1734-1795), et **n.o 2453,** *Scène champêtre,* et **n.o 2521,** *Le «majo»* (le faraud) *de la guitare,* de son frère **Ramón** (1746-1793).

SALLE XLIX.—PEINTURE ESPAGNOLE DES XVe ET XVIe SIÈCLES

Cette salle contient une série d'œuvres, dont la plupart sont des planches, quelques unes d'entre elles de peintre anonyme, suivies d'autres connus, continuateurs de la peinture primitive espagnole.

En rentrant, à droite, nous voyons d'abord le **n.o 1040 a,** *Saint Agustin,* toile peinte par **J. Pantoja de la Cruz** (1553-1608).

Poursuivant de ce même côté nous trouvons les tableaux suivants:

N.o 1144, *Les fiançailles mystiques de Sainte Cathérine,* par **Alonso Sánchez Coello** (1531-1588).

N.o 2656, *La Vierge et l'Enfant* (Pl. 88) par **Luis de Morales** (1500-1586) appelé **«le Divin»,** est un bon peintre de l'Estrémadure, artiste délicat, très spirituel, coïncidant en bien d'aspects avec l'art du **Greco,** mais avec des influences milainaises. Ses tableaux sont très fins en détails, pleins d'un certain esprit religieux, peut-être pleinement éprouvé par le peintre, mais assez inégaux, ce qui fait difficile leur classement, car il a beaucoup d'ouvrages d'atelier.

N.o 690, *La Nativité,* de **Jean Correa de Vivar,** que nous trouvons en 1539 en train de peindre pour la Cathédrale de Tolède.

N.º 2512, *L'Annonciation* et le **n.º 943,** *La Présentation de l'Enfant Jésus au Temple,* par **Luis de Morales.**

N.º 842, *L'enterrement de Saint Étienne* (Pl. 64); par **Vincent Jean Masip,** plus communément connu sous le nom de **Juan de Juanes** (1523?-1579), artiste qui introduisit le style renaissant à Valence, où il composa presque toute son œuvre d'inspiration religieuse. Très connue de la grande masse du public, on y note l'influence de **Raphaël** et de **Léonard.** Les planches sont bien dessinées, mais nous ne pouvons pas dire de même au sujet de la couleur, qui est trop brillante et achromée.

Il peignit cette planche, ainsi que d'autres que nous verrons sur la vie et le martyre de Saint Étienne, pour l'église consacrée à ce saint à Valence.

N.º 843, *Le martyre de Sainte Agnés,* planche de 58 centimètres de diamètre, peinte par **Juan Vicente Masip,** père et maître de **Juan de Juanes.**

N.º 2835, *L'Adoration des Mages,* de peintre **anonyme espagnol** d'école valencienne.

N.º 846, *La Dernière Cène* (Pl. XXII), peinte pour le grand retable de l'église de Saint-Étienne, de Valence, dont faisaient aussi partie les panneaux qui traitent de la vie du Saint. C'est un tableau très bien composé et la représentation des personnages est toute classique. On se doit de noter quelques visages expres sifs et bien dessinés, mais la couleur est mièvre et factice et rapelle le chrome. Oeuvre de **Juan de Juanes.**

Ensuite nous voyons deux petites planches: dans la partie supérieure, la **n.º 2834,** *La Nativité,* par **anonyme valencien,** et en bas, la **n.º 851,** *La Visitation,* par **J. Masip,** père de **Juan de Juanes.**

N.º 838, *Saint Étienne à la Synagogue,* par **Juan de Juanes.** C' est une planche de la série de cinq qu'il peignit sur des motifs de la vie de Saint Étienne, pour l'église du Saint à Valence.

N.º 689, *La Visitation,* planche par **J. Correa de Vivar.**

N.º 2171, *L'Annonciation,* et **n.º 2172,** *La Purification,* tous de **León Picardo,** peintre du Condestable de Castille, à Burgos entre 1514 et 1530.

N.º 2549, *Miracles des Saints Cosme et Damien,* par **Ferdinand del Rincón,** peintre espagnol de la fin du XVe siècle.

N.º 687, *La Présentation de Jésus au Temple,* par **Juan Correa de Vivar.**

N.º 1256, *L'Adoration des Mages,* **n.º 1255,** *La Visitation,* et **n.º 1254,** *L'Annonciation,* du **Maître de la Sisla,** peintre anonyme castillan de 1500, environ.

N.º 1290, *Le Couronnement de la Vierge,* par le **Maître des Onze Mille Vierges,** auteur **anonyme espagnol,** de Ségovie, de la fin du XVe siècle.

N.º 1298, *Descente de la Croix,* par un **anonyme espagnol.**

Le Christ devant Pilate, **anonyme hispano-flamand,** peint vers 1475.

En tournant, dans le mur d'en face nous verrons:

N.º 2537, *Le Christ triomphant,* d'auteur **anonyme espagnol,** castillan, du XVe siècle.

N.º 1259, *La Dormition de la Vierge,* toile, et **n.º 1258,** *La Circoncision,* que nous verrons après, par **Maître de la Sisla,** déjà nommé.

N.º 2517, *Le martyre de Sainte Ursule,* d'auteur **anonyme hispano-flamand.**

Ensuite, nous trouvons deux petites planches: **n.º 1329,** *Saint Grégoire,* et **n.º 1331,** *Saint Jacques apôtre,* peintes par **anonyme espagnol.**

N.º 1257, *La Présentation de l'Enfant Dieu,* par

Maître de la Sisla, appartenant à la série de tableaux que nous avons déjà vus.

N.º 2678, *La Visitation,* planche du **Maître de Perea,** peintre valencien de la fin du XVᵉ siècle.

N.º 1335, *La Vierge du Chevalier de Montesa,* œuvre d'auteur inconnu, que l'on peut classifier comme de l'école de **Rodrigo de Osona,** peintre de la fin du XVᵉ siècle, où on observe aussi des influences flamandes et italiens: elle représente la Vierge avec Saint Benoît, Saint Bernard et un Chevalier de Montésa, qui donne nom au tableau, agenouillé à droite.

N.º 2682, *Sainte Barbe,* **anonyme espagnol** de 1500, environ.

N.º 2805, *Sainte Anne, la Vierge, Sainte Isabelle, Saint Jean et l'Enfant,* par **Hernando Yáñez de la Almedina,** qui introduit en Espagne les courants de la Renaissance, comme bon disciple qu'il fut de **Léonard de Vinci,** dont on observe l'influence dans toutes ses œuvres d'une grâce exquise, dans une attitude classique, le dessin et la couleur d'une harmonieuse beauté, le tout d'une sensibilité délicate, mais d'une grandeur très espagnole.

N.º 2902, *Sainte Cathérine,* peint par **Yáñez de la Almedina,** vers 1506, tableau très soigné, d'une richesse de couleurs extraordinaire.

N.º 3017, *La Descente de la Croix,* par **Pedro Machuca,** peintre tolédan du XVᵉ siècle, plus célèbre comme architecte que comme peintre. Oeuvre belle de composition et de couleur, acquise par le «Patronato del Museo» en 1961.

N.º 2828, *L'Annonciation,* par **J. Correa de Vivar.** Planche qu'on estime important pour l'étude de ce peintre.

N.º 1339, *Saint Damien,* par **Yáñez de la Almedina.** Le Saint est représenté avec un peu plus de la

Autorretrato.—Self-portrait du peintre par lui même.—Sebstbildnis. Autoritratto

La última Cena.—Last Supper.—La dernière Cène.—Das heilige Abendmahl.—L'ultima Cena

moitié du corps. Les formes sont d'un modelé délicat qui nous rapelle le style de **Léonard de Vinci.**

N.º 2579, *La Vierge et les Âmes du Purgatoire*, de **Pedro Machuca.** L'œuvre provient d'une acquisition faite en Italie en 1935.

Juan de Juanes est aussi un bon portraitiste, comme nous pouvons le constater en contemplant le portrait de *Don Luis de Castellá*, **n.º 855,** digne d'être placé parmi les meilleurs.

N.º 2832, *Apparition de la Vierge à Saint Bernard*, planche par **J. Correa de Vivar.** Le Saint, agenouillé, reçoit le prix pour ses écrits sur la Vierge Marie.

N.º 1137, *Isabelle Claire Eugénie*, fille de Philipp II et femme de l'archiduc Albert, par **Sánchez Coello.**

N.º 1030, portrait d'*Isabelle de Valois*, femme de Philippe II et copie de **Sánchez Coello,** faite par son elève **Juan Pantoja de la Cruz.**

N.º 2861, *Saint Sébastien entre Saint Bernard et Saint François*, par **Alonso Sánchez Coello** (1531-1588), un des plus grands portraitistes, mais dont les compositions sont moins réussies.

N.º 1036, *Philippe II*, portrait peint en 1582, l'un des meilleurs que nous avons gardé de ce monarque, par **A. Sánchez Coello** (1531-1588), peintre valencien, excellent portraitiste, doué d'une forte personnalité, psychologue nuancé, qui concentre toute son étude sur les visages de ses personnages. Ses œuvres, dont il faut louer la technique, constituent une page de l'histoire des personalités de son époque.

N.º 1136, *Prince Don Carlos*, fils de Philippe II, l'infant qui assombrit réellement la vie du roi.

Et finalement, **n.º 1040 b,** *Saint Nicolás de Tolentino*, par **J. Pantoja de la Cruz.**

Ornant la salle, plusieurs sculptures, quelques bustes et vases.

SALLE L.—RETABLES ESPAGNOLS

Pour étudier la peinture gothique en Espagne, nous pouvons la ramener à deux écoles, l'école andalouse et l'école castillane.

Cette salle nous offre deux retables de cette époque et quelques panneaux, qui faisaient partie d'autres œuvres. Leur composition se place au temps de **Berruguete** et de **Fernando Gallego.**

Voici d'abord le **n.° 1321,** retable appelé celui de l'*Archevêque Don Sancho de Rojas*, qui provient du monastère de Valladolid et que nous pouvons dater de 1422.

N.° 1324, *Saint Sébastien et Saint Polycarpe*, et **n.° 1325,** *Martyre des Saints Sébastien et Polycarpe*, planches attribuées à **Pedro García de Benabarre,** peintre d'école espagnole, dont on sait seulement qu'il composa entre 1455 et 1456.

Deux tables, **n.° 2670** et **2671,** avec des moments du *Martyre de Saint Vincent*, d'auteur **anonyme espagnol,** provenant du legs Bosch.

N.° 2680, *Le Crucifiement*, par un disciple de **Jaime Huguet.**

N.° 1334, *Saint Vincent*, panneau anonyme du cycle aragonais, que l'on suppose appartenir à l'œuvre du **Maître de l'Archevêque de Mur** (fin du XVe siècle). Il provient de la cathédrale de Saragosse, d'où il passa au Musée Archéologique, puis au Musée du Prado.

N.° 2668, *Translation du corps de Saint Jacques le Majeur. I, Embarquement à Jafa;* au fond, Hérode avec son cortège contemple l'embarquement du corps décapitée de l'Apôtre, tandis que le bourreau engaine l'épée.

N.° 2669, *Translation du corps de Saint Jacques le*

Majeur. II, Conduction en Galice. Les deux panneaux, bien conservés, aux couleurs séduisantes et qui appartenaient, peut-être, à un retable de l'école aragonaise, dont l'auteur inconnu est identifié parfois avec le **Maître de Alfajarín.**

N.º 2545, *Retable de la Vierge et Saint François d'Assise,* venu de la province de León, est d'un certain **Nicolás Francés** (1468), que nous trouvons en 1434 terminant le retable destiné à la cathédrale de León, artiste dont nous savons peu de choses, mais dont l'art maniéré a subi les influences italiennes.

A côté, cinq panneaux qui appartenaient, peut-être au retable de la chapelle des Arces, de la Cathédrale de Sigüenza; le plus étonnant est celui qui représente *Sainte Cathérine avec Saint Jean Baptiste* **n.º 1336,** (Pl. 66), d'un auteur inconnu castillan-aragonais que l'on identifie parfois avec le **Maître de Sigüenza.** C'est une œuvre harmonieuse et fine, d'une riche couleur et qui doit dater du second quart du XVe siécle.

Et enfin, une planche d'autel, le **n.º 1332,** provenant d'un retable de Argüis (Huesca), dont le sujet est tiré de la légende de Saint Michel. Elle provient du Musée Archéologique et est attribués au **Maître d'Argüis,** artiste qui composa son œuvre vers le milieu du XVe siècle.

SALLE LI.—ROTONDE DU REZ-DE-CHAUSSÉE

Nous voyons une petite chapelle totalement restaurée et fort bien présentée; elle offre des peintures murales romaines du XIIe siècle, qui proviennent de Maderuelo (Ségovie). C'est la seule œuvre que notre Musée possède de la peinture médiévale. Le plafond et les murs de cet ermitage sont abondamment décorés, bien qu'il manque çà et là des fragments importants. Nous remarquons en premier lieu à l'entrée, et dans un bon état de conservation, *Le péché original* et *La création d'Adam* (Pl. 67). Dans l'abside, *Le Christ Créateur* et *Tout Puissant;* puis des anges, des prophètes et saints qui ornent toute la salle.

Nous arrivons maintenant dans le vestibule circulaire sur les murs duquel sont suspendus des tableaux et des scènes de bataille dus à **Snayers.**

SALLE LII

Petite galerie entre la Rotonde et la Porte Basse du Nord; elle contient six œuvres d'**Anibal Carrache** (1560-1609), bolonais, appartenant à une famille de peintres: **Augustin, Jean-Antoine** et **Anibal,** frères tous les trois, le dernier surpassant les deux autres.

Finalement, nous voyons une peinture au fresque, le **n.º 2911,** *Saint Jean Évangéliste*, par **Antonio Mohedano,** peintre espagnol, mort à Cordoue en 1625.

SALLE LIII.—GOYA, DESSINS

On expose ici, en installation temporaire, une centaine de dessins (Pls. 68 et 69). Ces dessins proviennent de l'ancien Musée de la Trinité, d'autres furent achetés par l'actuelle Direction du Musée: ces derniers sont généralement des essais faits sans modèle, tracés à la hâte, servant de notes pour les gravures de l'artiste. **Goya,** qui était un homme sans grande culture, doué d'une extraordinaire intuition, nous offre ici son immense œuvre de dessinateur composée la plupart du temps d'une main sure. Ses dessins crus et hardis fustigent la société de son temps et ses vices; la satire est morale et politique; ils raillent la licence des prêtres, des moines et des ministres. La qualité de ses dessins est extraordinaire et ils complètent la vision que nous avons vu de ce maître typiquement espagnol, et qui prodigue son génie étonnamment fécond et varié sur les thèmes les plus divers.

SALLE LIV.—GOYA, PEINTURES

Nous commençons par le **n.º 783,** *Le Cardinal Don Luis María de Borbón,* et **n.º 740 B,** *La Reine Marie Louise,* en buste, décolletée, et avec des plumes à la tête.

Les sujets religieux n'inspirent guère le génie de **Goya,** et sa seule réussite est sans doute le tableau représentant la *Communion de Saint Joseph de Calasanz,* qui se trouve au couvent de Saint-Antoine, de Madrid.

Ici nous voyons le **n.º 745,** *Christ sur la Croix,* de la première époque de l'artiste et qu'il présenta pour être admis à l'Académie des Beaux Arts de San Fernando. Cette toile, après être demeurée à l'église de San Francisco el Grande, puis du Musée de la Trinité, passa au Musée du Prado. Le tableau est d'une bonne technique, mais tout sentiment religieux en est absent. Le corps est parfait, délicatement modelé et trahit l'influence italienne. Le visage est assez expressif. L'ensemble, y compris la couleur, paraît très travaillé.

N.º 740 A, *Charles IV,* tableau de plus de mi-corps ou le Roi est représenté habillé en rouge, avec le toison et la bande de Charles III.

N.º 746, *La Sainte Famille,* où l'on note l'influence de **Mengs.**

N.º 2447, *Doña María Antonia Gonzaga, marquise de Villafranca.*

N.º 739, *Les Ducs de Osuna et leurs fils,* tableau

dont les descendants des personnages qu'il représente firent cadeau au Musée.

N.º 2446, *Cornelio van der Gotten*, qui fut directeur de la Fabrique Royale de Tapisserie, peint en 1782.

N.º 2862, *La Reine Marie Louise*, habillée à la mode du XVII siècle.

SALLE LV.—GOYA, «CARTONS» POUR TAPISSERIES

Dans ces trois salles, suivies, est exposée l'importante collection de «cartons» pour tapisseries qui devaient être tissés à la Fabrique Royale. Les toiles, de sujets très variés, sont soigneusement installées sur les murs des salles, décorés très au goût de l'époque. **Goya,** au début de sa vie artistique, après son voyage en Italie, est chargé de peindre ces «cartons» à l'huile, où il dessine les scènes qui doivent passer aux tapisseries; recommandé par **Raphaël Mengs,** il commence cette première étape d'un art original et beau, bien qu'elle ne soit pas la meilleure dans l'ensemble de sa création. Pendant les années 1775 à 1791 il peint ses sujets de «cartons» pour des tapisseries qui devaient décorer les mansions royales, en nombre et variété considérable. Le peintre commence cette première phase où il se supère de plus en plus, jusqu'à parvenir à des effets vraiment surprenants; il introduit des changements dans la technique du tapis, se pliant aux exigences du tissu, et avec peu de couleurs il produit ses «cartons» pleins d'un coloris vif et lumineux, avec un sens plus dépuré, dans ces scènes populaires, de parties de plaisir à la campagne, de jeux et de danses aux bords de la rivière, où il place avec une élégance et un charme merveilleux ses personnages.

Nous voyons en premier lieu le **n.º 778,** *L'aveugle*

de la guitare; **n.º 779,** *La Foire de Madrid;* **n.º 771,** *La «maja» et les chevaliers couverts;* **n.º 805,** *Chasseur et chiens;* **n.º 795,** *La vendange;* **n.º 787,** *La course de taureaux;* **n.º 784,** *Le jeu de paume;* **n.º 772,** *Le buveur;* **n.º 800,** *Jeunes filles à la cruche;* **n.º 773,** *Le parasol;* **n.º 753,** *Chiens et outils à chasser,* et **n.º 792,** *Le rendez-vous.*

SALLE LV A.—GOYA, TABLEAUX D'HISTOIRE ET PORTRAITS

En plus de ses dons de portraitiste, **Goya** est un grand peintre d'histoire que l'invasion française de 1808 révéla. Il compose de grandioses tableaux où vibre l'héroïsme du peuple face à l'envahisseur. Les espagnols luttent brillamment dans la guerrilla, et le peuple dressé sur toute le territoire contre la vague ennemie la fait refluer après d'heroïques combats.

Le peintre vit tout cela, et son farouche patriotisme lui inspira, **n.º 748,** *Le Deux Mai 1808 à Madrid: la lutte contre les mameluks;* **n.º 749,** *Le Trois Mai 1808 à Madrid, avec les fusillés sur la montagne du Prince Pio* (Pl. 70). Sur le premier, civils et mameluks, dans une mêlée confuse, se battent sauvagement à coups de couteau. C'est une page cruelle et sanglante et la meilleure illustration qui soit de l'héroïsme espagnol. Le tableau est d'une couleur parfaite. Le second, ou *Les fusillés,* est d'un surprenant réalisme. Au premier plan un monceau de cadavres tout sanglants, au centre les personnages, avec des visages, que qulques uns cachent, pleins d'épouvante. Tableau d'une puissance expressive jamais égalée, peint à larges touches, sans autre lumière que celle de la lanterne qui produit de sombres contrastes et sans autre couleur que le sang qui jaillit des blessures des cadavres qui sont amoncelés sur le côté.

Ces deux œuvres restent inimitables, tant du point de vue historique que du point de vue technique, comme le prouvent la composition et l'étude des personnages; les deux tableaux furent composés après 1814.

N.º 724, *Ferdinand VII dans un camp*, d'une bonne facture, mais peint sans conviction.

N.º 723, *Portrait de lui-même* (Pl. XXIII), magnifique et parfait de lumière et de couleur.

N.º 747, *L'Exorcisé*, qui représente le moment d'une cérémonie religieuse où l'on chasse les démons du corps du personnage que l'on voit sur le sol.

N.º 740, *L'Égorgement*, répétition d'une autre planche; **n.º 2650,** *Sainte Juste et Sainte Rufine*, ébauches pour le tableau de la cathédrale de Séville.

N.º 740 J, *Le bûcher*, peint sur fer-blanc, comme le **740 I.**

N.º 2899, *La laitière de Bordeaux*, œuvre distincte de la précédente, d'une couleur suggestive, avec des détails impressionistes qui lui donnent un accent tout moderne.

N.º 725, *Le Général Palafox à cheval*, tableau ou l'on note déjà la tendance de l'artiste à noircir les ombres. Il faut noter le visage aux traits énergiques et expressifs. La signature à l'extrême gauche du tableau porte la date de 1814.

N.º 2898, *Jean Baptiste de Muguiro*, portrait avec une dédicace de son ami le peintre.

Et enfin, le **n.º 735,** *Ferdinand VII revêtu du manteau royal* est un portrait d'un intérêt médiocre, semblable à celui que l'on conserve au Canal Impérial de Saragosse.

El Salvador.—The Saviour.—Le Sauveur.—Der Erlöser.—Il Salvatore

Retablo de San Juan Bautista y Santa Catalina.—Reredos of Sain John and Saint Catherine.—Retable de Saint-Jean-Baptiste et Sainte-Catherine.—Altarblatt des Johannes de Täufer un die Heilige Katharina. S. Giovanni Battista e S. Caterina (dipinto su legno per altare)

La creación de Adán. El pecado original.—The Creation of Adam. The original sin.—La création d'Adam. Le péché original.—Die Erbsünde und die Erschaffung Adams.—La creazione di Adamo ed il peccato originàle

Dibujo.—A drawing.—Dessin.—Zeichnung.—Disegno

«Esto ya se ve» (dibujo).—«This can be seen» (drawing).—«Già si vede ciò»

Los fusilamientos del 3 de Mayo de 1808.—Fusillade of the 3rd May 1808.—La Fusillade de 3 Mai 1808.
Die Erschiessung am 3 May 1808.—Le fucilazioni del 3 Maggio 1808

Saturno devorando a sus hijos.—Saturn devouring his children.—Saturne dévorant ses enfants.—Saturno verschlingt seine Kinder.—Saturno mentre divora i suoi figli

Arte helenístico.—Hellenistic Art.—Art Hellénistique.—Griechische Kunst.—Arte ellenistica

LÁM. 72

Arte helenístico.—Hellenistic Art.—Art Hellénistique.—Griechiscne Hunst.—Arte ellenistica

María Tudor, esposa de Felipe II.—Mary Tudor, Queen of England. Marie Tudor Reine d'Angleterre.—Die Königin Maria von England. Maria Tudor, sposa di Filippo II

El cambista y su mujer.—The Moneychanger and his wife.—Le Changeur et sa femme.—Der Geldwechsler und seine Frau.—Il Cambiavalute e sua moglie

CRONENBURCH (Siglo XVI) **N.º 2075**

Dama y niña.—Lady and Child.—Dame et son enfant.—Dame und Kind.
Dama con una bambina

Sagrada Familia del pajarito.—The Holy Family with a litle bird.—La Sainte Famille au petit oiseau. Die heilige Familie mit dem Vögelchen.—La Sacra Famiglia dell'Uccellino

Santa Ana y la Virgen.—Saint Anne and the Virgin.—Sainte-Anne et la Vierge.—Die Heilige Anna und die Heilige Jungfrau.—S. Anna e la Madonna

Rebeca y Eliecer.—Rebeca and Eliecer.—Rebeca et Eliecer.—Rebekka und Eliese.—Rebecca ed Eliezero

La Adoración de los pastores (fragmento).—The Adoration of the Shepherds (fragment).—L'Adoration des bergers.—Die Anbetung der Hirten. L'Adorazione dei Pastori

SALLE LVI.—GOYA, «CARTONS» POUR TAPISSERIES (Suite.)

N.° 781, *Le militaire et la dame;* **n.° 804,** *Le colin-maillard,* beau et absolument parfait, considéré comme un des meilleurs; **n.° 782,** *La marchande d'azeroles;* **n.° 768,** *Partie de plaisir sur les rives du Manzanares;* **n.° 794,** *L'aire;* **n.° 769,** *Bal près de l'ermite de Saint-Antoine de la Florida;* **n.° 797,** *Les pauvres à la fontaine;* **n.° 798,** *Chute de neige;* **n.° 796,** *Le maçon blessé;* **n.° 777,** *Des garçons prenant du fruit;* **n.° 790,** *Le garçon au chardonneret;* **n.° 788,** *L'octroi du tabac;* **n.° 770,** *Querelle à «l'Auberge Nouvelle»;* **n.° 775,** *Joueurs de cartes;* **n.° 789,** *L'enfant sur l'arbre,* et **n.° 776,** *Des enfants gonflant une vessie.*

SALLE LVI A.—GOYA, «PEINTURES NOIRES»

Aux superbes portraits en gris, aux scènes réalistes du 2 Mai succède cette peinture brossée de dures couleurs. Le peintre, vielli, muré dans la surdité, isolé dans sa maison de campagne, sur les bords du Manzanares, trace sur les murs une série de compositions hallucinantes. Peinture à l'huile que l'on put aisément transporter sur la toile, ce qui permet de l'admirer aujourd'hui au Musée du Prado. Les couleurs fondamentales sont le noir, le gris, et quelques touches de rouge éteint: *Le songe de la raison produit des monstres.* La fantaisie de l'artiste déborde, rompt avec les formules et se place à l'avant-garde de la peinture moderne. Couleur plaquée à grandes touches, coup de pinceaux agiles notant de surprenants effets de lumière et détachant brusquement des pommettes ou un nez:

sabbats, ânes, sorcières, personnages encapuchonnés, manolas, frères, soldats, prostituées, boucs, etcétera; au total, quatorze compositions qui décoraient la salle à manger et le salon de la maison du peintre.

N.º 766, *La lecture;* **n.º 760,** *La fête de Saint Isidro;* **n.º 757,** *Le Destin;* **n.º 756,** *Sabbat;* **n.º 759,** *Deux vieux moines;* **n.º 755,** *Pélérinage à la fontaine de Saint-Isidore;* **n.º 758,** *Lutte à coups de bâton;* **n.º 761,** *Vision fantastique;* **n.º 765,** *Deux femmes qui rient et un homme;* **n.º 762,** *Des vieillards mangeant de la bouillie;* **n.º 764,** *Judith et Holoferne;* **n.º 754,** *Une «manola»;* **n.º 763,** *Saturne dévorant un de ses fils* (Pl. 71); **n.º 767,** *Chien enterré dans le sable.*

Ces œuvres étranges, création d'un génie prodigieux, appartenaient en 1873 à un banquier allemand Émile d'Eslanger, qui les fit enlever de la maison de campagne du peintre et transposer sur la toile. Elles furent exposées à Paris au cours de l'Exposition Universelle de 1878 et leur propriétaire en fit don au Musée du Prado.

SALLE LVII.—GOYA, «CARTONS» POUR TAPISSERIES (Suite.)

N.º 801, *Les échasses;* **n.º 774,** *Le cerf-volant;* **n.º 786,** *Les blanchisseuses;* **n.º 802,** *La marionette;* des garçons bernant un godenot; **n.º 785,** *La balançoire;* **n.º 793,** *Les marchandes de fleurs;* **n.º 799,** *La noce;* **n.º 780,** *Le marchand de poterie* (Pl. XXIV); **n.º 783,** *Des garçons jouant aux soldats;* **n.º 800,** *Les pantins;* **n.º 791,** *Les bûcherons;* **n.º 803,** *Des garçons grimpant à un arbre,* et **n.º 743,** *Le «majo» à la guitare.*

SALLE LVII A.—GOYA, PEINTURES ET «CARTONS»

Dans cette salle, à côté des «cartons» pour tapisseries et d'autres peintures, nous voyons quelques beaux tableaux de petite grandeur, qui furent peints pour l'Alameda des Ducs d'Osuna.

N.º 728, *La Reine Marie Louise*, en figure entière, habillée en «maja», en noir, avec mantille et éventail.

N.º 2785, *Le colosse, ou la panique*. Nous voyons un géant, occupant presque tout le tableau, devant lequel la foule fuit partout; seulement un âne demeure impassible.

N.º 727, *Charles IV*, en uniforme de Colonel de Gardes de Corps, le chapeau à la main gauche.

N.º 751, *Un dindon mort*, et **n.º 752,** *Volaille morte*.

N.º 2782, *Le maçon ivre*, ébauche réduite du «carton» pour la tapisserie. *Le maçon blessé*, où on a seulement varié l'expression des figures.

N.º 2895, *Le joueur de musette*, «carton» pour tapisserie, qui est le couple du **n.º 2896,** *Chasseur devant une fontaine*, qui se trouve placé sur ce même mur.

N.º 2781, *Le colin-maillard*, réduction, avec des variantes, du «carton» pour tapisserie que nous avons déjà vu, sous le même titre, faite pour la «Alameda d'Osuna».

N.º 750, *La Prairie de Saint-Isidro* le jour de la fête; une vue de la Prairie pleine d'un peuple bigarré qui joue et qui s'amuse sur les rives du Manzanares; au fond, Madrid, où se détache le Palais Royal et le temple de Saint-François-le-Grand. Étude pour un «carton» de tapisserie qui n'arriva pas a être réalisé. Il appartint à la Maison ducale d'Osuna.

N.º 2783, *L'Ermitage de Saint-Isidro le jour de la fête*. «Majos» et «majas» boivent l'eau de la fontaine miraculeuse. Il a rapport, comme l'antérieur avec un «carton» pour tapisserie.

N.º 744, *Un picador à cheval.*

N.º 2856, *Chasse à l'appeau,* et **n.º 2524,** *Deux enfants avec un chien,* tous deux des «cartons» pour tapisseries.

Revenant à la Salle LIV, nous passons par une de ses portes à la

SALLE LVIII.—SCULPTURES

Si la célébrité du Prado est due avant tout à ses collections de peinture, il reste qu'il présente aussi diverses sculptures dont quelques unes sont d'une grande rareté. La plus grande partie d'entre elles se trouvent réunies au Rez-de-chaussée dans les Salles LVIII et LXXI; les autres ont été réparties dans diverses salles du Musée pour servir d'ornement. Presque toutes proviennent des Collections Royales. Il faut noter en premier lieu celles que appartenaient à la collection d'Isabelle Farnèse, épouse de Philippe V, et qui gaûtait beaucoup cette branche de l'art. Elle envoya même des agents en Italie pour acheter les sculptures qui appartinrent à la Reine Christine de Suède et qui furent vendues à Rome. Notons aussi les statues propriétés à Charles V et à Philippe II, parmi lesquelles il faut signaler celles que le Pape Paul III offrit à Charles V et celles que le cardinal Montepulsiano envoya à Philippe II.

On y voit des sculptures de la période hispano-romaine, et des copies romaines de modèles grecs. Parmi elles se détachent l'*Apollon ancien,* du legs Zayas; le groupe *Castor et Pollux.* Il fut découvert à Rome au XVIe siècle et appartint à la famille des Ludovisi, puis à Christine de Suède, aux rois Isabelle Farnèse et Philippe V; il demeura un certain temps au palais de La Granja pour entrer définitivement au Prado. Ce groupe sculpté dans le marbre, d'auteur inconnu est postérieur à l'époque de Polyclète et Praxitèle.

Vénus, œuvre assez mutilée, provient du légat Zayas.

Le faune au chevreau est de la même époque; il est inachevé et semble appartenir à l'école de Rhodes.

Aphrodite provient du légat de Zayas. La *Vénus du Dauphin* ressemble à celles qui sont exposées à Rome et à la Médicis de Florence. Elle est considérée comme l'une des plus belles.

Un faune, copie d'un original de Praxitèle.

Polymie, copie grècque de l'époque hellénistique.

Hypnos, sculpture du IVe siècle avant J.C. et l'une des plus belles qui soient exposées dans cette salle.

Vénus après le bain, *Ganymède et l'aigle*, *Diadumène*, *Isis*, *Euterpe Thalie*, *Calliope*, *Terpsichore* et des bas-reliefs en marbre représentant des bacchantes proviennent des collections d'Isabelle Farnèse.

Un groupe de bustes romains acquis à Rome et à Tivoli par D. Nicolás d'Azara, ambassadeur d'Espagne, qui les offrit à Charles IV, représentent *Alexandre le Grand*, *Périclès*, *Marc Antoine*, *Antinoüs*, *Cicéron* et *César Auguste*. On voit aussi un autre groupe important que **Vélasquez** acheta pour le roi Philippe IV au cours de son voyage en Italie en 1648, des bas-reliefs et des reproductions d'animaux.

SALLE LIX.—PEINTURE FLAMANDE DU XVIe SIÈCLE

Nous avons ici un ensemble de peintres flamands et allemands, comme suite des primitifs que nous avons vu à l'Étage Principal.

De **Ambrosius Benson** (1519-1550) nous voyons une série de planches sur des sujets réligieux, provenant tous du couvent de Santa Cruz, de Ségovie:

N.º 1929, *La Naissance de la Vierge;* **n.º 1927,** *La Piété;* **n.º 1303,** *Santo Domingo de Guzmán;* **numéro 1304,** *Saint Thomas* (?) *et un donneur;* **n.º 1928,** *L'enterrement du Christ;* **n.º 1935,** *Un baiser devant la Porte Dorée,* et **n.º 1933,** *Sainte Anne, l'Enfant Jésus et la Vierge.*

N.º 1296, *Zaccharie,* tableau provenant d'un retable, où le Patriarche est représenté d'un air surpris. De l'autre côté de la planche on voit Saint Bernardin de Sienne. Œuvre de **Jan Prevost** ou **Provost** (1465-1529), école flamande.

N.º 2183, Portrait de *L'orfèvre d'Ausbourg Jôrg Zôrer,* et **n.º 2184,** *L'épouse de Jôrg Zôrer,* les deux personnages représentés en buste, œuvre de **Christophe Amberger** (1500-1562), et provenant du Palais Royal d'Aranjuez.

N.º 2539, *La Piété,* œuvre du **Maître flamand de la Virgo inter Virgines.**

N.º 2552, triptyque: centre, *La Nativité;* sur les portes latérales, *L'Annonciation* et *La Présentation au Temple,* par un **anonyme flamand** du milieu du XVIe siècle, connu comme le **Maître des Demi-Figures.**

N.º 2217, triptyque *L'Adoration des Mages,* d'**anonyme flamand,** du commencement du XVIe siècle.

N.º 2703, *L'Annonciation,* triptyque par **Pieter Coecke van Aelst** (1502-1550).

N.º 2706, *Les fiançailles de la Vierge,* feuille d'un triptyque, par un **anonyme flamand** de 1500, environ, connu comme le **Maître de la Lègende de Sainte Cathérine.**

N.º 1916, *Les fiançailles mystiques de Sainte Cathé-*

rine, triptyque d'**anonyme flamand** de 1520, environ.

N.° 2697, *Saint Jérôme*, planche du peintre hollandais **Van Oostsanen** (1470-1533).

N.° 1917, *Miracle de Saint Antoine de Padoue*, planche d'**anonyme flamand** de 1500, environ.

SALLE LX.—PORTRAITS D'ANTONIO MORO ET D'AUTRES

Anton van Dashorst Mor, appelé en Espagne **Antonio Moro** (1519?-1576), excellent peintre hollandais, maître dans l'art du portrait, était très admiré de Philippe II. Nous avons ici une série magnifique de portraits de cour où la précision s'allie à la majesté:

N.° 2108, *La Reine Marie d'Angleterre* (Pl. 74), seconde femme de Philippe II, signé et daté de 1554; **n.° 2109,** *Cathérine d'Autriche*, épouse de Juan II de Portugal; **n.° 2110,** *L'Impératrice Marie d'Autriche*, femme de Maximilien II; **n.° 2111,** *L'Empereur Maximilien II;* **n.° 2112,** *Jeanne d'Autriche;* **n.° 2115,** *La Duchesse de Feria* ?; **n.° 2117,** *Marguerite de Parme;* **n.° 2117 bis,** *Marie Josèphe de Portugal*, épouse d'Alexandre Farnèse; **n.° 2119,** *La Dame à la chaîne d'or;* **n.° 2113,** *La Dame au petit bijou;* **n.° 2116,** *La Dame avec la croix à la gorge;* **n.° 2114,** *Metgen, épouse du peintre;* **n.° 2118,** *Philippe II*, portrait de jeunesse; **n.° 2107,** *Péjéron*, bouffon du Comte de Bénévent; **n.° 2880,** *Portrait de dame.*

N.° 1949, *Portrait de Philippe II*, de **Lucas de Heere** (1534-1584), plus connu sous le nom de **Lucas de Hollande,** un autre portrait de **Antonio Moro** et, enfin, le **n.° 2580,** *Portrait d'un humaniste*, acheté par le Prado en 1935, et œuvre de **Jan van Scorel** (1495-1562).

N.° 2567, *Le changeur et sa femme* (Pl. 75), de **Mari-**

nus Claeszon van Reymerswaele († 1567), d'un excellent dessin sans que la couleur mérite un grand éloge.

SALLE LX A.—PEINTRES FLAMANDS DU XVIe SIÈCLE

Nous voyons: **N.º 2884,** *Judith avec la tête de Holopherne*, d'un **anonyme flamand** du XVe siècle.

N.ºs 2074 et **2075,** *Dame et fillette néerlandaises* (Pl. 76); **n.º 2076,** portrait de *Dame hollandaise*, et **n.º 2073,** *Dame portant une fleur jaune;* tous ceux-ci de **A. Cronenburch,** de l'école hollandaise du dernier tiers du XVIe siècle.

Le triptyque **n.ºs 1468, 1469** et **1470,** *La Vie de la Vierge*, avec la Naissance de Marie, la Présentation et le Transit, par **M. Coxcie** (1499-1592).

N.º 1515, *Le Déluge Universel*, par **J. van Scorel** (1495-1562).

N.º 2101, *La Vierge et l'Enfant*, par **M. van Reymerswaele,** peintre hollandais de la fin du XVe siècle.

Des deux côtés, les portraits: **n.º 1858,** *Don Alonso de Idiáquez, duc de Ciudad Real*, et **n.º 1859,** *Doña Juana de Robles*, épouse du précédent, peint par **Otto van Veen** (1558-1629), école flamande.

N.º 1542, *La Vierge et l'Enfant*, par **Van Hemesen,** daté en 1543.

N.º 1960, *Portrait de chevalier*, d'un **anonyme hollandais,** de 1568, environ.

N.º 2881, *Portrait de jeune homme*, d'un disciple d'**Antonio Moro.**

En dernier terme, le **n.º 2641,** *Le Christ portant la Croix*, par **Michel Coxcie** (1499-1592), et le **n.º 2100,** *Saint Jérôme*, par **Marinus van Reymerswaele,** signé en 1517.

Autorretrato.—Self portrait.—Portrait par lui-même.—Selbstbildnis. Autoritratto

Los Mamelucos

SALLE LXI.—MURILLO

Nous voyons ici de belles compositions de **Bartolomé Esteban Murillo,** artiste sévillan, dont nous avons déjà étudié les œuvres. On note un tableau de forme oblongue, **n.º 960,** qui représente *La Sainte Famille*, connu sous le nom de *La Sainte Famille au petit oiseau* (Pl. 77), composé en 1650 et qui appartenait à l'importante collection d'Isabelle Farnèse; il passa ensuite en France avec les tableaux enlevés par Joseph I, d'où il revint au Prado en 1918. *Murillo* nous offre ici un ensemble d'une beauté et d'une grâce jamais égalées.

N.º 977, *La Vierge des Douleurs*, et **n.º 965,** *Ecce-Homo*, deux tables que Charles IV acquit pour le palais d'Aranjuez; **n.º 968,** *Sainte Anne et la Vierge* (Pl. 78); **n.º 975,** *La Vierge au Chapelet;* **n.º 966,** *Rebeca et Eliecer* (Pl. 79); **n.º 961,** *L'Adoration des bergers* (Pl. 80), d'un coloris harmonieux et d'une bonne distribution des figures; **n.º 973,** *La Conception*, en buste, thème que **Murillo** traite avec prédilection; **n.º 969,** *L'Annonciation;* **n.º 982,** *Le martyre de Saint André;* **n.º 976,** *La Vierge et l'Enfant;* **n.º 981,** *Vision de Saint François;* **n.º 1001,** *La vieille fileuse;* **n.º 1002,** *La gallega de la monnaie*, de la collection d'Isabelle Farnèse; **n.º 987,** *Saint Jérôme;* **n.º 983,** *Saint Ferdinand*, et deux tableaux du Christ sur la croix, **n.ºs 966** et **967.**

SALLE LXI A.—RIBERA

Comme suite à ce que nous avons déjà vu de l'œuvre du peintre valencien **José de Ribera,** connu comme l'**«Españoleto»,** nous voyons dans cette salle les tableaux suivants:

N.º 1107, *Vision de Saint François d'Assise.*

N.º 1124, *Combat entre femmes.* Étrange sujet inspiré par un duel qui eut lieu à Naples devant le Marquis del Vasto entre deux dames napolitaines (Isabella de Carazi et Diambra de Patinella) se disputant l'amour de Fabio de Zeresola.

N.º 1115, *Saint Paul ermite;* **n.º 1120,** *Ésope écrivant;* **n.º 1098,** *Saint Jérôme repentant.* Le saint, nu, à sa main droite une pierre avec laquelle il frappe sa poitrine, et à sa gauche, une croix.

N.º 1091, *Saint Simon;* **n.º 1082,** *Saint Jacques le Majeur.*

N.º 1095, *Saint Sébastien.* Le saint, présenté en buste, est une étude parfaite de nu. Paraît-il que **Velasquez** estimait cette toile. Elle se trouvait, lors de sa mort, dans l'atelier des peintres de l'Alcázar de Madrid.

N.º 1094, *Saint Augustin;* **n.º 1102,** *Saint Joseph avec l'Enfant Jésus.*

N.º 1122, *Tête de femme* vue de profil, et **n.º 1123,** *Tête de vieillard,* fragments d'un tableau intitulé *Le triomphe de Bacchus,* brûlé lors de l'incendie de l'Alcázar en 1734.

N.º 1110, *Saint Roch;* **n.º 1121,** *Archimède* avec le compas; **n.º 1112,** *L'Aveugle de Gambazo,* sculpteur, palpant la tête d'Apollon; **n.º 1073,** *Saint Pierre in Vinculis;* **n.º 1079,** *Saint André;* **n.º 1116,** *Un anachorète;* **n.º 1071,** *Saint Pierre Apôtre;* **n.º 1070,** *L'Immaculée Conception;* **n.º 1077,** *Saint André, Apôtre,* et **n.º 1111,** *Saint Christophe,* portant l'Enfant Dieu.

SALLE LXII.—MURILLO ET AUTRES PEINTRES

Nous voyons en premier terme des copies de deux portraits de lui-même, faits par **Bartolomé Esteban Murillo;** le **n.º 2912,** copie anonyme, et le **n.º 1153,** copie un peu réduite de l'original, appartenant au Comte Spencer, par **M. de Tobar** (1678-1758).

Quatre petites esquisses de **Murillo** (1618-1682), qui traitent sur la parabole évangélique de l'enfant prodigue: **n.º 997,** *L'enfant prodigue reçoit sa part d'héritages;* il reçoit de son père l'argent en sacs; **n.º 998,** *Le départ:* il sort du village à cheval; **n.º 999,** *La dissipation:* la table pleine de mets, deux courtisanes et un musicien; **n.º 1000,** *L'abandon:* pauvre, seul, à la campagne, parmi des porcs.

N.º 989, *Saint Jacques Apôtre,* de plus de demi-corps, de **Murillo** aussi; et de ce même peintre, les **n.ºs 1005** et **1006,** un couple de paysages.

N.º 1160, *La Présentation de la Vierge au Temple,* de **Juan de Valdés Leal** (1622-1690), qui fut composé vers 1686. Au pied de l'escalier, avec Saint Joachim et Sainte Anne, on voit d'autres figures, dont celle qui a l'aquamanile paraît être le portrait du propre peintre.

N.º 970, *L'Annonciation,* et **n.º 996 A,** *Jésus et la Samaritaine,* tous deux de **Murillo.**

Puis, nous avons sous les yeux le **n.º 2970,** *Paysage avec des bergers,* et **n.º 836,** *Pays,* du peintre de Guipúzcoa **Ignacio Iriarte** (1621-1685).

N.º 2509, *Le festin et le pauvre Lazare,* que **Juan de Sevilla** (1643-1695), peintre qui suit le baroque flamand de **Rubens,** composa vers 1646.

Et enfin, le **n.º 984,** *La conversion de Sain Paul,* de **Murillo.** Le Christ s'apparaît à Saint Paul, tombé de son cheval, lui demandant: «Pourquoi me poursuis-tu?»

SALLE LXII A.—RIBERA

Dans cette salle nous trouvons encore quelques tableaux de **Ribera:**

N.º 1090, *Saint Simon;* **n.º 1099,** *Saint Barthélemy.*

N.º 1096, *Saint Jérôme* (Pl. 81). Le saint apparaît avec le torse demi-nu et les mains croisées sur la poitrine, en prière.

N.º 2506, *Vieille usurière;* **n.º 1104,** *La Madeleine repentante,* figure en buste avec une tête de mort et un flacon de parfum; **n.º 1084,** *Saint Mathieu,* et **n.º 1067,** *Le Sauveur.*

N.º 1089, *St. Jacques,* le **Jeune; n.º 1092,** *St. Judas Thadée;* **n.º 1074,** *St. Paul;* **n.º 1888,** *St. Philippe;* et finalement deux tableaux de Zurbarán; **n.º 3009,** *Frère Diègue de Vega;* **n.º 3006,** *Sainte Claire.*

SALLE LXIII.—ALONSO CANO ET CARREÑO DE MIRANDA

Alonso Cano (1601-1667) est un des grands maîtres du XVIIe siècle, tout à la fois peintre, architecte et sculpteur, le plus grand artiste de l'école de Grenade. Il a un sens tel de la beauté qu'on peut le comparer aux plus grandes figures de la Renaissance. Ses tableaux, pleins de sérénité, sont d'une facture classique, d'un dessin parfait et de couleurs délicates. Son œuvre la plus remarquable est un ensemble de tableaux qu'il fit pour le presbytère de la cathédrale de Grenade. Le Musée du Prado ne nous offre que quelques œuvres de cet artiste. Nous avons ici six toiles traitant d'un sujet religieux:

N.º 629, *Le Christ mort soutenu par un ange;* **n.º 2637,** un autre sur le même sujet, mais avec quelques variantes; le premier appartenait au Marquis de l'Ensenada et provient du Palais Royal de Madrid; le second est signé sur la pierre où repose le Christ et provient du legs Bosch.

N.º 625, *Saint Benoît contemplant le Globe et les*

trois anges; **n.º 630,** *La Vierge contemplant son Fils* (Pl. 82); sur la tête de Marie, une étoile; **n.º 626,** *Saint Jérôme*, écoutant la trompette qui annonce le Jugement Dernier; **n.º 627,** *La Vierge et l'Enfant*, très semblable au **n.º 630,** et enfin, le **n.º 632,** *Un Roi de Léon.*

Juan Carreño de Miranda, artiste mineur de l'école de Madrid, portraitiste de la cour de Charles II, auteur des portraits qui se firent du monarque, est un bon peintre qui suit l'exemple de **Vélasquez.** Nous voyons de lui tout d'abord deux tableaux religieux d'une bonne facture et où se note l'influence flamande: **n.º 651,** *Sainte Anne donnant une leçon à la Vierge*, et **n.º 649,** *Saint Sébastien.*

N.º 647, *Le bouffon Francisco Bazán*, portrait de figure entière; **n.º 645,** *Pierre Ivanovitz Potemkine*, deux fois ambassadeur de Russie en Espagne, en 1668 et 1681, et le **n.º 2800,** *«La Monstre» nue*, la fillette géante âgée de cinq ans, ici couronnée de pampres, représentant Bacchus, que nous voyons aussi habillée avec le **n.º 646.**

SALLE LXIII A.—ANTONIO DEL CASTILLO, FRAY JUAN RIZI ET AUTRES

Antonio del Castillo (1603-1668) est un bon peintre de Cordoue, disciple de **Zurbarán,** dessinant avec netteté.

Nous voyons ici six de ses tableaux sur des passages de l'histoire de Joseph: **n.º 951,** *Joseph et ses frères;* **n.º 952,** *Joseph vendu par ses frères;* **n.º 953,** *Joseph et la femme de Putiphar;* **n.º 954,** *Joseph explique les rêves du Pharaon;* **n.º 955,** *Le triomphe de Joseph en Egypte*, et **n.º 956,** *Joseph ordonne la mise en prison de Siméon.*

Esteban March († 1660), peintre valencien qui

suit, avec peu de succès, les traces de **Ribera.** Nous en voyons ici le **n.º 878,** *Vieillard buvant;* **n.º 882,** *Saint Onofre* et **n.º 879,** *Vieille femme buveuse,* une bouteille à la main.

Du madrilène **Fray Juan Rizi de Guevara** (1600-1681), appelé le **Zurbarán** castillan, nous voyons le **n.º 2510,** *Saint Benoît bénissant un pain,* et le **n.º 2600,** *La cène de Saint Benoît.*

SALLE LXIV.—PEINTRES ESPAGNOLS DU XVIIe SIÈCLE

En premier lieu, le **n.º 648,** *Charles II,* fils de Philippe IV, par **Juan Carreño de Miranda** (1614-1685), et du même Roi, un autre, le **n.º 2504,** de **Claudio Coello** (1642-1693).

N.º 2571, *La Chasse du «Tabladillo»* (Pl. 84), *à Aranjuez,* par **Mazo** († 1667). La Reine Isabelle et ses dames de cour, assis es sur la tribune; Philippe IV, Don Fernando et deux veneurs, devant deux cerfs en dedans de la haie; en dehors, des groupes d'hommes à pied et à cheval; en premier plan, à droite, à côté d'un buffon nègre, la chienne qui fut peinte par **Vélasquez** accompagnant à Don Antonio «l'Anglais».

N.º 888, *L'Impératrice Marguerite d'Autriche,* fille de Philippe IV, peinte par **Vélasquez** au tableau de *Las Meninas,* quand elle était une fillette, et le **n.º 1221,** *Le Prince Balthazar Charles,* tous deux de **Mazo.**

N.º 2244, *Saint Augustin,* à genoux, contemple l'apparition de la Vierge avec l'Enfant; signé à 1663, par **Mateo Cerezo** (1626-1666).

N.º 2505, *Un fils de François Ramos del Manzano,* portrait d'enfant de douze ans environ, par un auteur **anonyme espagnol** de l'école de Séville.

N.º 2555, *L'Annonciation de la Vierge,* d'**Antonio Pereda** (1608-1678).

N.º 860, *La Naissance de la Vierge,* belle toile où nous observons des influences de **Vélasquez,** par **J. Leonardo** (1605-1650), peintre d'Aragon, spécialiste aux sujets d'histoire, dont nous avons vu quelques toiles à la rotonde d'entrée de l'Étage Principal.

N.º 620, *Jugement d'une âme,* par **Mateo Cerezo,** auter du *Saint Augustin* que nous venons de voir.

N.º 1047, *Ecce-Homo,* ou Christ des douleurs, signé par **Pereda** en 1641.

N.º 1129, *L'Adoration des Rois,* et **n.º 1130,** *La Présentation au Temple,* tous deux de **Francisco Rizi de Guevara.**

N.º 2583, *Jésus Enfant, à la porte du Temple* (Pl. 85), par **Claudio Coello** (1642-1693).

SALLE LXV.—RIBALTA, ZURBARÁN ET AUTRES

Voici quelques œuvres des premiers temps de l'école réaliste espagnole qui étaient auparavant à la Galerie Centrale.

D'abord, le **n.º 666,** *Vision d'Ézéchiel, la résurrection de la chair,* du peintre madrilène **Francisco Collantes** (1599-1656).

N.º 2595, *Chevalier,* portrait de buste avec la fraise et les gants, de **Maino,** œuvre pleine de naturel qui fait penser à **Vélasquez.**

N.ºs 702 et **703,** deux *Natures mortes: Des pommes, des raisins et des poires,* et *Fruitier,* attribuées à **Juan de Espinosa** († 1653).

N.º 1046, *St. Jérôme* (Pl. 40) par **Pereda,** signé par l'artist.

Ensuite deux tableaux sur des sujets de batailles

navales: **n.º 1154,** *Combat naval entre les espagnols et les turcs,* et **n.º 1156,** *Débarquement et combat,* du capitaine **Juan de Toledo** (1611-1665).

N.º 1164, *Nature morte,* qui, comme le **n.º 2877,** *Offrande à Pomone,* situé à un autre lieu de cette même salle, est une œuvre de **Jean van der Hamen,** né à Madrid à 1596 et mort en 1631.

N.º 1020, *Le retour au bercail,* du peintre d'Albacete **Pedro de Orrente** († 1628).

N.º 67, *Saint Sébastien,* attribué à **Vicenzio Carducci** ou **Carducho** (1576-1638), qui, né à Florence, vint en Espagne étant presque enfant encore, et mourut à Madrid. Nous avons vu quelques uns de ces tableaux sur des sujets historiques au vestibule d'entrée de l'Étage Principal.

Enfin, le **n.º 665,** *Marianne d'Autriche,* reine d'Espagne, veuve de Philippe IV, attribué à **Claudio Coello** (1642-1693).

SALLE LXVI.—DAVID TENIERS II «LE JEUNE»

Ce peintre, baptisé à Anvers en 1610 et mort à Bruxelles en 1690, disciple et suiveur de l'art de son père, peint de petits tableaux pleins de la joie populaire et bucolique des gens du village. Trois des tableaux s'écartent de ce sujet, étant basés sur des thèmes religieux; ce sont les **n.ºs 1820, 1821** et **1822,** que nous pouvons voir sous le titre *Les tentations de Saint Antoine.*

Ensuite, nous verrons les **n.ºs 1802** et **1803,** *Opération chirurgique;* **n.º 1804,** *L'alchimiste;* **n.º 1813,** *L'Archiduc Léopold Guillaume à sa galerie de peintures de Bruxelles;* on voit à ce tableau l'Archiduc, son chapeau sur la tête, et, tête découverte, trois chevaliers, parmi

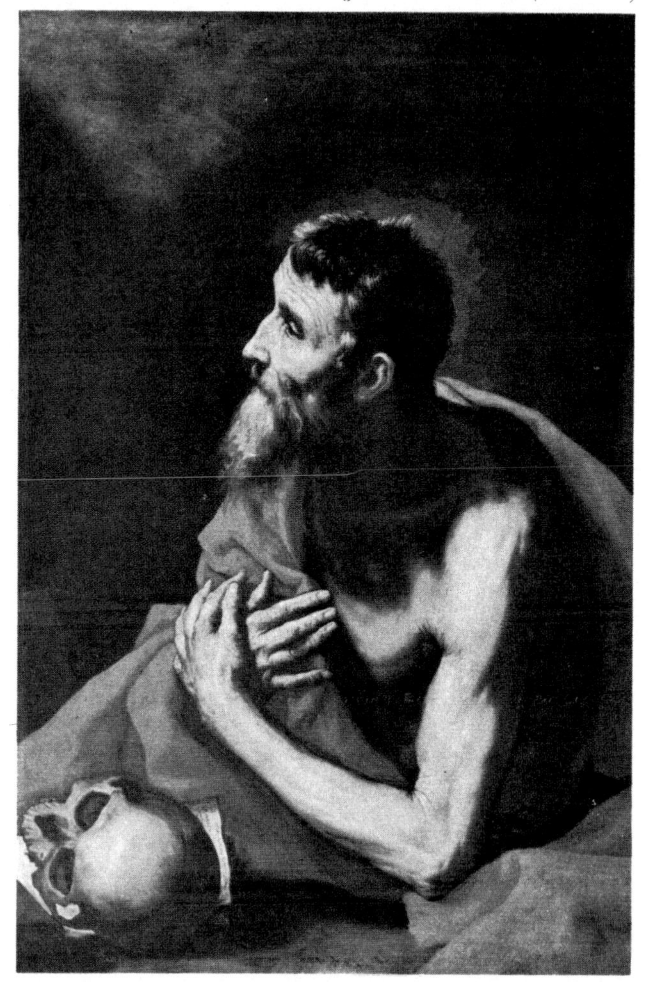

San Jerónimo.—Saint Jerome.—St.-Jerôme.—Der Heilige Hieronimus.
S. Gerolamo

La Virgen y el Niño.—The Virgin and the Child.—La Vierge et l'Enfant. Die heilige Jungfrau mit dem Scheafenden Christuskind.—La Madonna con il Bambino Gesù

N.º 2529 *ALONSO CANO (1601-1667)*

Cristo en la Cruz.—Jesus Christ on the Cross.—Christ Crucifié.—Christus am Kreuze.—Cristo sulla Croce

**Cacería del Tabladillo.—Hunting in the Tabladillo.—Chasse du Tabladillo.
Jagd am Tabladillo.—Caccia al Tabladillo**

Jesús Niño en la puerta del Templo.—The Child Jesus at the Door of the Temple.—L'Enfant Jésus à la porte du Temple.—Christuskind am Tempel Tor.—Gesù Bambino alla porta del Tempio

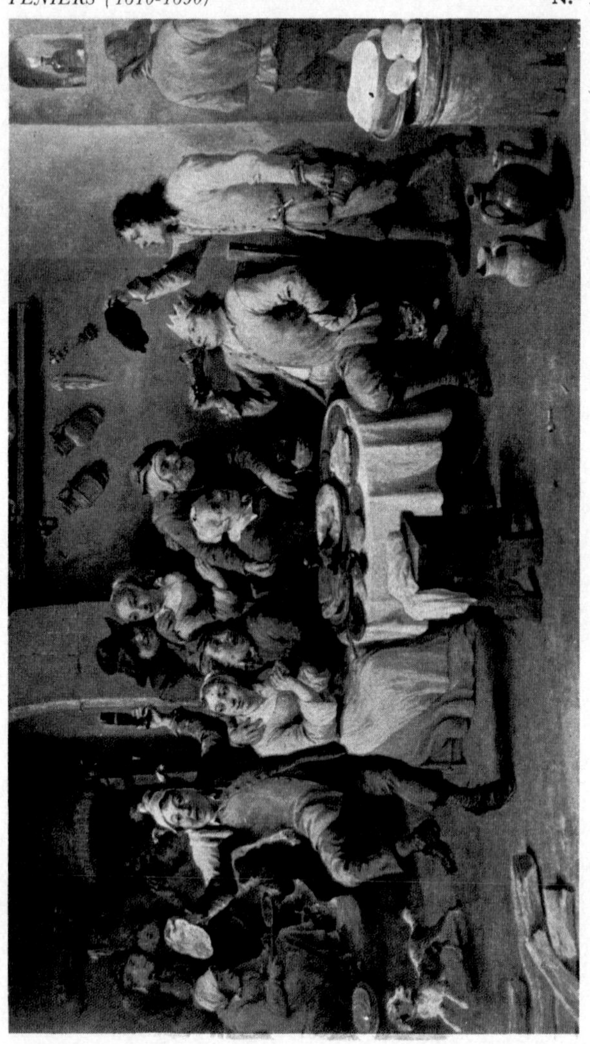

«Le Roi Boit»

El Tránsito de la Virgen.—The Death of Our Lady.—La Dormition de la Vierge.—Der Tod der Heiligen Jungfrau.—L'Assunzione della Madonna

La Virgen y el Niño.—Virgin and Child.—La Vierge et l'Enfant.—Die Jungfrau und das Kind.—La Madonna con il Bambino Gesù

La Dama de Elche

Felipe III

Santo Domingo de Guzmán.—Saint Dominic of Guzmán.—St.-Dominique de Guzmán.—Der heilige Dominikus von Guzmán.—S. Domenico di Guzmán

A. R. MENGS (1728-1779) **N.º 2197**

Autorretrato.—Selportrait.—Autoportrait.—Sebstbildnis.—Autoritratto

Duquesa de Toscana.—Duchess of Tuscany.—Duchesse de Toscane. Die Herzöge von Toskanien.—La Duchessa di Toscana

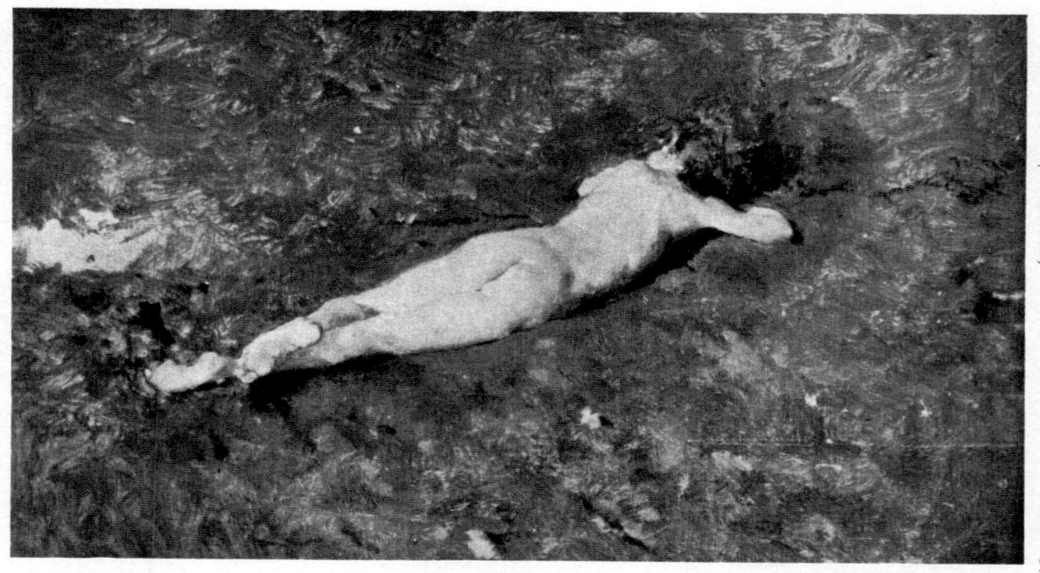

Desnudo, en la playa de Portice.—Nude, on the beacn of Portici.—Nu, a la plage de Portici.—Akbild am Strande von Portici.—Nudo, sulla spiaggia di Portici

La Condesa de Vilches.—Countess of Vilches.—Comtesse de Vilches. Die Gräfin von Vilches.—La Contessa di Vilches

X Conde de Westmorland

lesquels, d'après Madrazo, se trouve le Comte de Fuensaldaña et **Teniers** lui-même, ce dernier sous la figure de jeune homme.

N.º 1786, *Fête à la campagne;* **n.º 1811,** *Le bivouac;* **n.º 1785,** *Fête paysanne;* **n.º 1787,** *Bal de paysans;* **n.º 1797,** *Le Roit boit* (Pl. 86).

Viennent après une série de petits tableaux acquis par Charles IV, avec des scènes de singes: **n.º 1805,** *Le singe peintre;* **n.º 1806,** *Le singe sculpteur;* **n.º 1807,** *Des singes dans une cave;* **n.º 1808,** *Des singes à l'école;* **n.º 1809,** *Des singes en train de fumer,* et **n.º 1810,** *Festin de singes.*

N.º 1799, *Le vieillard verdelet caressant la servante;* **n.os 1794, 1795** et **1796,** *Fumeurs et buveurs;* **n.º 1790,** *Le tir à l'arbalète,* et 1791, *Le soldat joyeux.*

SALLE LXVII.—JAN BRUEGEL DE VELOURS

À cet artiste, né à Bruxelles en 1568 et mort à Anvers en 1625, appartiennent les œuvres que nous allons voir à cette salle.

N.os 1421 et **1424,** *Vase à fleurs;* **n.º 1438,** *Banquet de noce,* qui, comme des autres toiles à cette meme salle, que nous verrons sous les **n.os 1439** et **1441,** représentent des scènes champêtres pleines de joie populaire.

Distribués dans la salle, sur le sujet des sens corporels, nous avons ensuite sous les yeux les **numéros 1394,** *La Vue;* **n.º 1395,** *L'Ouïe;* **n.º 1396,** *L'Odorat;* **n.º 1397,** *Le Goût,* et **n.º 1398,** *Le Toucher.*

Le même sujet est répété au **n.º 1403,** *La vue et l'odorat,* et **n.º 1404,** *Le goût, l'ouïe et le toucher.*

N.º 1443, *Marché et buanderie à Flandre;* **n.º 1430,**

Paysage avec des moulins à vent; **n.º 1432,** *Des bohémiens et leurs bêtes dans un bois.*

N.º 1416 et **n.º 1417,** *Guirlandes de fleurs et de fruits avec la Vierge et l'Enfant.*

N.º 1428, *Excursion à la campagne d'Isabelle Claire Eugénie;* l'Infante Souveraine, avec ses dames et servantes, s'amuse aux travaux agricoles, par **Jan Bruegel «le Garçon»** (1601-1678).

N.º 1442, *Festin de noce, présidé par les Archiducs;* **n.º 1402,** *L'Abondance,* et **n.º 1431,** *Paysage,* par **Bruegel de Velours.**

SALLE LXVIII.—PEINTURE ESPAGNOLE DU XVIe SIÈCLE

Nous voyons, de **Juan Correa de Vivar,** peintre castillan qui travailla pour la Cathédrale de Tolède entre 1539 et 1552, les planches suivantes, distribuées dans cette galerie: **n.º 673,** *Saint Benoît bénissant Saint Maurius;* **n.º 672,** *La Vierge, l'Enfant et Sainte Anne;* **n.º 689,** *La Visitation;* **n.º 671,** *La Dormition de la Vierge* (Pl. 87).

De **Vicente Juan Masip, «Juan de Juanes»** (1523?-1579) nous voyons encore des planches sur la vie de Saint Étienne: **n.º 841,** *Martyre de Saint Étienne;* **n.º 840,** *Saint Étienne est conduit au martyre;* **n.º 839,** *Saint Étienne accusé de blasphème;* **n.º 849,** *Le Christ sous la croix,* et **n.º 1262,** *Saint Étienne ordonné diacre,* ce dernier tableau œuvre d'un disciple du peintre.

N.º 1294, *La Descente de la Vierge pour récompenser Saint Ildefonse,* par le **Maître des Onze Mille Vierges.**

N.º 528, *Chevalier de* 54 *ans,* portrait d'**anonyme espagnol.**

Et, enfin, le **n.º 1012,** *Le Baptême du Christ,* du

peintre de Logroño **Juan Fernández de Navarrete «le Muet»** (1526-1579), qui travailla pour Philippe II.

SALLE LXIX.—BUFFET

SALLE LXX

N.º 1161, *Dispute de Jésus avec les docteurs,* par **Valdés Leal** (1622-1690).

N.º 832 A, *Le Pape Saint Léon I «le Grand»,* par **Francisco Herrera «le Vieux»** (1576-1656).

N.º 1130 A, *La Conception,* par **François Rizi** (1608-1685).

N.º 2503, *Saint Jérôme repentant,* par **Antonio del Castillo** (1616-1668).

N.º 1015, *L'Adoration des Bergers,* par **Pedro de Orrente** († 1645) et quelques autres moins importants.

SALLE LXXI.—LA DAME D'ELCHE

Placé sur un piédestal, nous voyons le merveilleux buste ancien connu mondialement sous le nom de la *Dame d'Elche* (Pl. 89). C'est la tête, taillée en pierre calcaire, d'une déesse ou d'une prêtresse. La pierre est jaune et comme brûlée par le soleil, les couleurs sont estompées, les yeux taillés en amande, les sourcils bien dessinés, la bouche contractée, le front large et des lourdes tresses qui tombent de chaque côté du visage. Autour du cou des colliers et des amulettes.

Buste d'une majesté hiératique, plein d'expression, il fut découvert en 1897 dans les environs d'Elche (Alicante), d'où son nom. Il fut vendu à l'archéologue français Pierre Paris, qui en fit don au Musée du Louvre et il entra au Prado en 1941 à la suite d'un échange d'œuvres d'art conclu entre les gouvernements français et espagnols.

Provenant du legs de M. Mario de Zayas, mexicain d'origine espagnole, nous voyons ici plusieurs sculptures, dont quelques unes assez mutilées; parmi celles-ci, *La Vénus du bain*, accroupie; *Éphèbe divinisé*, sculpture grecque du Ve siècle; *Tête suméro-acadique; Minerve; Buste d'Hercule; La Vénus du coquillage; Vénus habillée;* un *Faucon*, en basalte, avec les yeux en agate, taille égyptienne; *Tête de cheval*, sculpture, peut-être, athénienne, en marbre rose, du Ve siècle avant J. C.

Au centre de la salle se trouve un vase en marbre, avec un relief représentant la lutte de Lapithes et de Centaures, dont la technique ressemble à celle de Phidias.

SALLE LXXII.—MÉDAILLES

On peut voir, en quatre vitrines, la collection de médailles anciennes provenant du legs Bosch. Aux bouts de la salle se trouvent les sculptures de Charles V et de son épouse, et au centre, la statue équestre de Philippe III, probablement, de **Jean de Boulogne.**

Sur les murs, nous voyons les tableaux suivants:

N.º 1234 A, *Isabelle de France* femme de Philippe IV, habillée en blanc et en or, et **n.º 1234,** *Philippe IV et le nain «Soplillo»;* le Roi a sa main appuyée sur la tête du nain. Tous deux de **Rodrigo de Villandrando.**

N.º 2563, *Marguerite d'Autriche*, femme de Philippe III, par **Juan de Pantoja** (1553-1608).

N.º 1031, *Isabel de Valois*, troisième épouse de Philippe II, copie de **Sánchez Coello** par **Pantoja.**

N.º 1138, *Les Infantes Isabelle Claire Eugénie et*

Cathérine Michelle, filles de Philippe II, par **Sánchez Coello.**

N.º 861, *Isabelle Claire Eugénie et Madeleine Ruiz;* par un disciple de **Sánchez Coello.**

N.º 2562, *Philippe III* (Pl. 90), couple du **2563,** par le même peintre.

Distribués dans la salle, nous voyons plusieurs tableaux représentant des vases à fleurs, peints par **Bartolomé Pérez** (1634-1693), peintre madrilène, et **Juan de Arellano** (1614-1673).

SALLE LXXIII.—LE TRÉSOR DU DAUPHIN

La Salle LXXIII présente une importante collection appelée «Trésor du Dauphin» et qui contient des joyaux de valeur, des colliers et des céramiques, au total 120 pièces, œuvres d'artistes français et italiens des XVIe et XVIIe siècles, où l'on remarque particulièrement de la vaisselle, des parures, des cristaux de roche, des plateaux, etc.

Elles appartenaient à Philippe V, qui les avait reçues en héritage de Louis XIV. Elles furent longtemps conservées au palais de La Granja. Elles sont montées et garnies avec des métaux précieux, des diamants, des émeraudes, des turquoises, des rubis, et il faut noter la beauté des jaspes, des agates et des jades.

Ce fut Charles III qui l'installa au Musée. Pendant la guerre d'Indépendance quelques pièces furent volées, d'autres détériorées. Le trésor fut restauré et replacé définitivement dans cette salle en 1815.

SALLE LXXIV.—ROTONDE D'ARIADNE

Le nom de cette salle est dû à la colossale statue placée devant la grande fenêtre d'où elle reçoit la lumière. Nous y pouvons admirer un ensemble de six toiles:

N.° 2593, *Saint Jérôme*, habillé en cardinal; un lion à ses pieds, et au-dessus deux anges portant le chapeau de cardinal. Ce tableau, de même que le **n.° 2582,** représentant *Un martyre de l'Ordre de Saint Jérôme*, sont l'œuvre du peintre de Séville **Juan Valdés Leal,** contemporain et ami de **Murillo.**

En face de ceux-ci sont deux toiles formant couple, réalisées peut-être pour des tableaux d'autel: le **n.° 663,** *Sainte Rose de Lima*, et **n.° 662,** *Saint Dominique de Guzmàn* (Pl. 91), tous deux du pinceau de **Claudio Coello** (1642-1693), peintre et portraitiste de Chambre de Charles II.

Puis, le **n.° 2561,** *Don Luis de la Cerda, IX Duc de Medinaceli*, œuvre de peintre **anonyme italien.**

En, enfin, le **n.° 2443,** *La Conception*, par **José Antolínez** (1635-1675). Belle image de la Vierge, très suggestive par le coloris, entourée d'anges.

SALLE LXXV.—RUBENS ET SES DISCIPLES

Au vestibule nous voyons les **numéros 1625,** *Isabelle de France*, femme de Philippe IV, fille d'Henri IV de France et de Marie de Médicis, et **1624,** *Marie de Médicis*, reine de France, mère de l'antérieure, tous deux l'œuvre de **Franz Pourbus** († 1622), école flamande.

N.° 2564, *Portrait d'enfant*, œuvre italienne attribuée à **Giovanni Bernardo Carboni** (1614-1683); **n.° 1529,** *Nature morte, un chien et un chat*, de **Jan Fyt** (1611-1661); **n.° 1472,** *Ferdinand d'Autriche*, fils de Philippe III, par **Gaspar de Crayer** (1584-1669), d'école flamande et, enfin, le **n.° 1758,** *Concert d'oiseaux* par **Snyders.**

En passant à la grande salle, on voit plusieurs tableaux sur des sujets mythologiques de **Rubens,** ses disciples et imitateurs; ce sont des sujets décoratifs pour les chambres du Real Sitio de El Pardo.

N.º 1714, *Apollon poursuivant Daphné*, par **Jan Eyck,** peintre flamand; **n.º 1711,** *Hercule tuant le dragon du Jardin des Hespérides*, copie de **Rubens** par **Martínez del Mazo; n.º 1632,** *Cupidon vogant sur un dauphin*, par **Quellyn** (1607-1678); **n.º 1667,** *Orphée et Eurydice*, par **Rubens; n.º 1715,** *Andromède*, copie anonyme de **Rubens; n.º 1668,** *La naissance de la Voie Lactée*, par **Rubens; n.º 1551,** *Apollon vainqueur de Marsyas*, par **Jordaens; n.º 1664,** *Cérès et deux nymphes*, par **Rubens; n.º 1862,** *La naissance de Vénus*, par **Corneille de Vos; n.º 1345,** *La chute de Phaéton*, de **Jan Eyck; n.º 1631,** *Jason, chef des Argonautes*, et **n.º 1630,** *La mort d'Eurydice*, tous deux de **Quellyn; n.º 1540,** *La chute d'Icare*, par **J. P. Gowi.**

N.º 1543, *Le jugement de Salomon;* **n.º 1675,** *La déesse Flore;* **n.º 1658,** *L'enlèvement d'Hippodamie* ou *Lapithes et Centaures*, et **n.º 1660,** *La banquet de Térée*, qui sont tous de **Rubens.**

N.º 1464, *Prométhée descendant à la Terre*, par le peintre flamand **Jan Cossiers** (1600-1671); **n.º 1659,** *L'enlèvement de Proserpine*, de **Rubens.**

N.º 1369, *Apothéose d'Hercule*, par le peintre flamand **Jan Baptiste Borkens** (1611-1675).

N.º 1633, *Deux anges mettant en fuite les esprits impurs*, par **Quellyn.**

Enfin, le **n.º 1971,** *Céphale et Procris*, par **Peeter Symons,** de l'école flamande.

SALLES LXXVI ET SALLE LXXVII.—Bureaux.

SALLE LXXVIII.—En transformation.

SALLE LXXIX.—ESCALIER SUD

En montant l'escalier qui conduit à l'Étage Principal, on peut voir les tableaux suivants:

N.º 1844, *Orphée,* par **Van Tulden** et **Franz Snyders.**

N.º 473, *La mort de Cléopâtre,* par **A. Vaccaro** (1598-1670); **n.º 226,** *Judith,* copie de **Guido Reni,** dont l'original est à la Galerie Spada, à Rome; **n.º 53 A,** *La reconnaissance de Tobie,* du peintre italien **Giovanni Biliverti** (1576-1644).

N.º 2326, *Philippe V à cheval,* par **Jean Ranc** (1674-1735); **n.º 1503,** *Christine de Suède à cheval,* par **Sébastien Bourdon** (1616-1671), école française.

N.º 466, *La Madeleine repentante,* du peintre napolitain **Andrea Vaccaro** (1598-1670).

Et, enfin, le plus en évidence des tableaux de cet escalier, le **n.º 1940,** *L'égorgement de Saint Jean Baptiste,* de peintre **anonyme flamand,** peinture médiocre qui, outre sa grandeur extraordinaire (2,80 × × 9,25 m.), a la particularité d'être une scène composée, avec un remarquable anachronisme dans les costumes, de figures ayant le visage de personnages historiques du XVIIe siècle: Wallenstein, Henri IV de France, Ferdinand II, etc., avec des traits caricaturesques, et on a cru même voir à la tête du Baptiste une ressemblance avec Charles Ier d'Angleterre.

ÉTAGE SUPÉRIEUR

(Corps du Sud.)

SALLE LXXX.—MENGS

Antoine Raphaël Mengs (1728-1779) occupe un lieu important dans la peinture du XVIIIe siècle. Peintre et écrivain, ami de **Maella** et protecteur de **Goya,** il est très estimé par Philippe V, qui lui commande une série de fresques pour décorer les salles du Palais de Madrid. **Mengs** est un peintre très studieux et un bel esprit, qui éprouve des soucis classiques et intellectuels, ayant pour but une supération dans son art et une plus grande perfection de ses peintures, mais sans y parvenir dans la plupart des cas. Il écrivit des traités et des articles érudits qui le situèrent, en lui élevant à una catégorie artistique qu'il ne possédait pas, ce qui fut cause d'être appelé par quelques uns le peintre philosophe. Sa peinture est très académique et trop soucieuse du détail, et ses thèmes sont presque toujours froids, très semblables à ceux qui furent peints par **Van Loo** ou **Ranc.** Le Musée possède une abondante collection de ses tableaux, que nous allons voir successivement.

Nous trouvons les suivants, de thème religieux: **n.º 2205,** *La Madeleine pénitente;* **n.º 2206,** *Saint Pierre en train de prêcher*, et **n.º 2204,** *L'adoration des bergers*, celui-ci meilleur, peut-être, que les antérieurs, et qui offre la particularité de montrer le portrait de **Mengs** dans la figure se trouvant immédiatement derrière Saint Joseph. Nous voyons aussi deux ébauches d'apôtres où se montre la froideur du peintre pour les thèmes religieux.

N.° 2197, *Autoportrait* (Pl. 92), et ensuite une série de portraits de personnages royaux de son époque; **n.° 2186,** *Marie Joséphine de Lorraine;* **n.° 2188,** *Charles IV, Prince,* en habit de chasse; **n.° 2189,** *Marie Louise de Parme, Princesse des Asturies;* **n.° 2200,** *Le Roi Charles III;* **n.° 2194,** *Marie Caroline de Lorraine, Reine de Naples;* **n.°s 2198** et **2199** (Pl. 93), *Les Ducs de Toscana;* **n.° 2201,** *La Reine Marie Antoinette de Saxe,* qui fut mariée avec le futur Charles III d'Espagne; **n.° 2193,** *L'Archiduchesse Thérèse d'Autriche,* qui est représentée avec une perruche; **n.° 2187,** *L'Infant Antoine Pascal;* **n.° 2195,** *L'Infant Javier de Bourbon;* **n.° 2196,** *L'Infant Gabriel de Bourbon,* tous les trois fils de Charles III.

N.° 2191, *L'Archiduc François d'Autriche,* petit-fils de Charles III, qui fut Empereur sous le nom de François II, et beau-père de Napoléon.

N.° 2190, *Ferdinand IV, Roi de Naples,* fils de Charles III, qu'il succéda au trône par cession de son père.

N.° 2568, *Marie Louise de Parme.* Tableau pas fini, ébauche du naturel pour le portrait qui se trouve au Métropolitan Muséum de New York.

N.° 2473, Portrait d'*Anna von Muralt,* par la peintresse d'école allemande **Angélique Kauffmann** (1741-1807).

N.° 48, *Un voyageur en Italie,* par **Pompeo Battoni** (1708-1787), peintre italien.

SALLE LXXXI.—DESSINS

En réalité, ce numéro correspond à un couloir où on peut admirer des dessins et des pastels de plusieurs auteurs, dont quelques uns proviennent du légat de

M. Pedro Fernández Durán, qui en fit donation au Musée en 1930.

Parmi les dessins, ceux d'**Alonso Cano,** peintre et sculpteur grenadin du XVIIe siècle, dont nous nous sommes déjà occupés en visitant le Rez-de-Chaussée, sont remarquables par sa perfection et fermeté.

Un autre dessin remarquable est celui réalisé sur vélin, de l'église de San Juan de los Reyes (Tolède) par **J. Guas,** œuvre exceptionelle de la fin du XVe siècle. Nous voyons aussi ceux que l'on doit à **Antonio del Castillo,** avec quelques unes de ses œuvres, ainsi que des tableaux de **Laurent Tiépolo,** à côté de ceux de son père **Giovanni Battista,** décorateur et peintre de fresque des mansions royales, dont nous avons vu des œuvres précédemment; quelques dessins encore de peintres d'école madrilène et un autre produit par **Murillo.**

Ensuite, nous trouvons d'autres œuvres de **Raphaël Mengs,** peintre dont le génie avantageait le talent, d'après expression de Madrazo; deux bonnes études d'**Antonio del Castillo** et **Francisco Bayeu** et des pastels d'un disciple de **Mengs,** de **Vicente López,** ainsi que d'autres œuvres de moindre importance.

La salle suivante, sans numéro, qui communique avec l'ascenseur, contient des œuvres de **Bassano,** des toiles de **Lucas Jordán,** deux tableaux de l'atelier de **Titien** et quelques autres de peintres du XVIIe siècle.

SALLE LXXXII.—PEINTURE ESPAGNOLE DU XIX SIÈCLE

On expose ici quelques œuvres, provenant du légat de M. Ramón de Errazu, de **Mariano Fortuny** (1838-1874), peintre espagnol né à Reus (Tarragone), qui résida pendant une grande partie de sa vie à Rome. L'œuvre la plus remarquable de cette estimable collection est le **n.º 2606,** bel et parfait, *Nu, à la plage de Portici* (Pl. 94); **n.ºs 2607** et **2608,** types marocains, signés par leur auteur; **n.º 2605,** *Fantaisie de Faust;* **n.º 2609,** *Idylle;* **n.º 2612,** *Vieillard nu au soleil,* figure d'un peu plus de mi-corps; **n.º 2627,** *Paysage,* qui est peut-être une de ses dernières aquarelles; **n.º 2610,** *Fleurs;* **n.º 2931,** *Les fils du peintre, au Salon Japonais,* et le **n.º 2611,** *Ménippe,* copie du même sujet de **Vélasquez.**

Nous devons aussi faire ressortir, du bon peintre espagnol **Raimundo de Madrazo** (1841-1920), le **n.º 2620,** *Une bohémienne;* **n.º 2621,** *La modèle Aline Masson,* avec mantille blanche, et le **n.º 2622,** la même *Aline Masson;* mais ceux-ci sont surpassés par la belle tête prise du naturel du **n.º 2619,** *La Reine Régente Marie Christine d'Habsbourg,* vêtue en noir avec deux médailles, toile datée à Aranjuez en 1887.

Nous suivons avec deux œuvres de **Martín Rico** (1833-1908), peintre madrilène spécialisé en paysages; **n.º 2623,** *La Tour des Dames de l'Alhambra;* **n.º 2625,** *Venise,* un paysage de Séville et quelques autres encore.

En dernier lieu, nous remarquerons un beau portrait, **n.º 2628,** de la *Marquise de Manzanedo,* assise, vêtue en blanc, par **J. L. Meissonier** (1815-1891), peintre français.

SALLE LXXXIII.—PEINTRES ESPAGNOLS

On a réuni dans cette salle des œuvres de peintres dont nous nous sommes déjà occupés antérieurement, et qui, par besoins de local, n'ont pu être placées corrélativament. Nous nous limiterons donc à les paser en revue brièvement, étant donné le caractère élémentaire de ce livre.

N.° 633, Deux rois d'Espagne, tableau assortissant au **n.° 632,** de la salle LXIII, par **Alonso Cano,** bien qu'il ne manque pas qui apporte des raisons pour le croire peint par **J. Leonardo.**

Maintenant, deux paysages par **Benito Manuel Agüero** (1626 ?-1670), disciple de **Martínez del Mazo,** école madrilène; **n.° 890,** *Un port fortifié;* **n.° 891,** *Monastère de El Escorial;* **n.° 892,** *El Campillo,* maison de campagne des moines de El Escorial, et quelques autres, ayant tous la tonalité assombrie.

La Pentecôte, de **Juan Bautista Maino,** qui fit part du retable principal de l'église de Saint-Pierre Martyr, à Tolède—où l'auteur fut moine dominicain—avec la toile *L'Adoration des Mages,* que nous avons vu à la salle XXV de la Galerie Centrale.

Ensuite, nous trouvons des œuvres moins intéressantes, d'attribution douteuse, et, enfin, le **n.° 1134,** *L'eau du rocher,* scène biblique où Moïse fait jaillir avec son bâton l'eau pour assouvir la soif des israélites. Toile que l'on a cru autrefois peinte par **Roelas** ou par **Giovachino Assereto,** et que plus tard Mayer a attribué à **Llano de Valdés** (1675).

SALLE LXXXIV.—PEINTRES ESPAGNOLS DES XVIIIe ET XIXe SIÈCLES

En premier lieu nous sommes frappés par les belles scènes royales qui nous rapellent les sujets de **Watteau,** peintes par le madrilène **Luis Paret Alcázar** (1746-1799), dont nous nous sommes occupés à la Salle XXXIX. Le **n.° 1044,** *Les couples royaux,* représente une fête hippique à Aranjuez au printemps de

1773, à laquelle prennent part plusieurs infants et princes du règne de Charles III. **N.º 1045,** *Serment de Ferdinand VII comme Prince des Asturies* à San Jerónimo el Real de Madrid, en 1789, où on doit remarquer la délicatesse d'exécution des personnages et des groupes, et les **n.ºs 1042** et **1043,** deux tableaux sur des sujets de fleurs, provenant du Palais d'Aranjuez.

Des frères **Ramón** et **Francisco Bayeu** (1746-1793 et 1734-1795) nous avons plusieurs cartons avec des scènes pour tapisseries, parmi lesquels il faut remarquer le **2451,** *Le vendeur de saucisses;* le **n.º 2452,** *Éventails et roses;* le **n.º 2453,** *Scène champêtre;* le **numéro 2522,** *L'aveugle musicien*, *Le garçon au panier*, *Le goûter*, etc.

Enfin, une série de natures mortes minutieusement achevées, qui ont été autrefois au Palais d'Aranjuez, de **Luis Eugenio Meléndez** ou **Menéndez** (1716-1780), peintre espagnol né à Naples, spécialisé à ce genre, et d'autres moins importants.

Aux vitrines, placés avec un caractère provisoire, on peut observer des dessins espagnols et italiens.

SALLE LXXXV.—PEINTRES ITALIENS DES XVIe ET XVIIe SIÈCLES

N.º 2551, Panneau placé sur un support, peint sur les deux faces. Sur la première, *Saint Jérôme pénitent;* sur la deuxième ou revers, *Paysage avec un chasseur*, œuvre anonyme italienne de 1550 environ.

N.º 59, Un autre *Saint Jérôme méditatif*, par **Antonio Campi,** et le **n.º 59 a,** *Le Crucifiement*, œuvre de **Vicencio Campi** (1536-1591).

N.º 476, *La Charité*, avec trois enfants et un ange,

qui provient du Palais d'Aranjuez, œuvre de **Carlo Portelli,** peintre florentin, mort en 1574.

N.º 349, *Sainte Anne, la Vierge et l'Enfant*, œuvre anonyme italienne.

N.º 348, *Le Christ portant la Croix*, de **Sebastián del Piombo,** dont nous avons vu un autre à l'Étage Principal.

N.º 294, *La Sainte Famille*, par **Domenico Puligo,** peintre florentin (1492-1527).

N.ºs 27 et **28,** *L'expulsion des marchands du temple*, deux toiles de **Jacopo da Ponte Bassano,** père de la dinastie de peintres dont nous avons vu les œuvres à l'Étage Principal.

N.º 34, *La Cène*, par **Francesco da Ponte Bassano,** fils de l'antérieur, et les **n.ºs 40,** *La fuite en Egypte;* **33,** *L'Adoration des Mages*, et **43,** *La Vierge Marie au Ciel*, tous les trois de **Leandro.**

SALLE LXXXVI.—PEINTRES ITALIENS DUX VIIe SIÈCLE

Dans cette salle, nous remarquerons six toiles avec des scènes de la vie de Saint Jean Baptiste, du peintre italien **Maximo Stanzione** (1585-1656): **N.º 256,** *La naissance du Baptiste, annoncée à Zacharie;* **n.º 257,** *Prédication du Baptiste au désert;* **n.º 258,** *La décapitation du Baptiste*, et **n.º 291,** *Le Baptiste fait ses adieux à ses parents*. Du même auteur est aussi le **n.º 259,** *Sacrifice à Bacchus*.

Nous voyons aussi, de sujet religieux, le **n.º 149,** *La naissance de Saint Jean Baptiste*, par la peintresse **Artemisa Gentileschi** (1597-1651), fille du peintre du même nom.

De **Salvatore Rosa** (1615-1673) nous voyons une

marine de grandes dimensions: **n.º 324,** *Le golfe de Salerne.*

D'**Andrea Vaccaro** (1598-1670), peintre napolitain, on expose: **n.º 468,** *Rencontre de Rébecca et Isaac;* **n.º 469,** *Mort de Saint Javier;* **n.º 470,** *Sainte Rosalie de Palermo.*

De **Palma «le Jeune»** (1544-1628) nous voyons le **n.º 271,** *David vainqueur de Goliat,* et le **n.º 272,** *La conversion de Saint Paul,* tous deux achetés pour Philippe IV aux enchères de Charles I d'Angleterre.

Du peintre italien **Andrea Sacchi** (1599-1661) nous voyons le **n.º 3,** *Naissance de Saint Jean Baptiste.*

Et enfin, de **Crespi** (1557-1633), le **n.º 547,** *Saint Charles Borromée* et *Le Christ mort.*

SALLE LXXXVII.—PEINTRES ITALIENS (Suite.)

N.º 81, *Paysage,* par le peintre bolonais **Annibale Carracci** (1560-1609); **n.º 121,** *La Nativité,* copie de **Pietro da Cortona** (1596-1670); **n.º 212,** *L'Apôtre Saint Jacques,* figure de l'Apôtre de plus de mi-corps, œuvre de **Guido Reni** (1575-1642); **n.º 401,** *Le Cardinal Andrea de Austria,* œuvre anonyme d'un disciple de **Tintoretto, n.º 75,** *L' Assomption de la Vierge,* un des plus estimables et beaux des tableaux d'**Annibale Carracci** (1560-1609), provenant du Monastère de l'Escorial.

N.º 148, *Portrait d'elle même,* par **Artemisa Gentileschi,** dont nous avons vu des œuvres antérieurement. De son père, **Orazio Gentileschi,** nous voyons le **n.º 1240,** *L'Enfant Jésus, endormi sur la Croix.*

N.º 471, *La Résurrection du Seigneur,* par **Pietro Novelli** (1603-1647).

N.º 130, *Apparition des anges à Saint Jérôme,* duquel il existe plusieurs copies, par **Domenico Zampieri, «il Domenichino»** (1581-1641).

Deux toiles, **n.º 463 A** et **n.º 465,** sur des motifs de la vie de Saint Gaétan. **N.ºs 341,** *La Vierge en méditation,* et **342,** *La Vierge avec l'Enfant endormi;* à la première d'elles, la Vierge, les yeux demi-clos et les mains unies, médite; à la seconde, avec Jésus Enfant dans ses bras; ce sont deux belles images, très délicates et dévotes, par **Giovanni Battista Salvi** (1605-1685), connu vulgairement sous le nom de **«Sassoferrato»,** lieu de sa naissance, créateur de ce type d'images belles qui eurent une grande acceptation.

N.º 354, *La Véronique,* montrant la toile avec le visage du Christ, par **Bernardo Strozzi** (1581-1644), qui provient des collections royales, œuvre attribuée autrefois à **Vèlasquez.**

Deux tableaux de *Sainte Agathe;* le premier, **n.º 467,** par **A. Vaccaro,** et le second, **n.º 17,** qui représente la Sainte en prison, par **A. Barbalonga** (1600-1649).

Suivent deux autres sujets religieux, le **200,** *Saint Pierre libéré par un ange,* et le **202,** *Saint Augustin méditant sur la Trinité,* tous deux de **F. G. Barbieri, «il Guercino»** (1591-1665).

N.º 292, *La Sainte Famille à la Grappe,* par **Camilo Procaccini,** peintre bolonais (1550-1629), et d'autres moins importants.

N.º 385, *Portrait d'une dame inconnue,* attribué à **Tintoretto** ou à sa fille, la **Tintoretta.**

N.º 247, *Soldat portant la tête du Baptiste,* par **Manfredi** (1580-1620).

SALLE LXXXVIII.—PEINTRES ITALIENS (Suite.)

Cette salle est, en réalité, l'escalier qui unit la rotonde d'entrée par la porte de Goya avec le corps Nord de l'Étage Supérieur.

Sur ses murs sont pendus les tableaux de peintres italiens ci-dessous:

N.º 512, *Rébecca et Éliézer*, par **Bautista Zelotti** (1526-1578); **n.º 236,** *Les auspices*, par **Lanfranco** 1581-1647); **n.º 165,** *Bethsabée au bain*, par **Lucas Jordán; n.º 166,** *La prudente Abigail*, du même peintre; **n.º 44,** *Venise. Embarquement du Dux*, par **Leandro Bassano; n.º 6,** *La Sainte Famille et le Cardinal Ferdinand de Médicis*, par **Allori** (1535-1607), et **n.º 139,** *Bataille entre romains et barbares*, par **Falcone** (1600-1650), peintre napolitain qui fut disciple de notre **Ribera.**

ÉTAGE SUPÉRIEUR

(Corps du Nord)

SALLE LXXXIX.—PEINTRES FLAMANDS DE LA FIN DU XVIe ET MILIEU DU XVIIe SIÈCLES

N.º 1446, *Paysage avec la guérison du possédé*, basé sur la scène évangélique; le **n.º 1854,** *Paysage avec des forges*, formant couple avec un autre paysage semblable, le **n.º 1855,** tous trois par **Lucas van Valckenbourgh** (1540-1597), peintre spécialiste à ce genre de sujets.

N.º 1554, Tryptique constitué par quarante petits

tableaux aux peintures sur cuivre, représentant des animaux divers, sur des petits paysages de fond, par **Jan van Kessel, «le Vieux»** (1626-1679), série à laquelle manquent deux tableaux, qui furent ajoutés plus tard par le Légat Fernández Durán, et que nous verrons à la Salle XCVI. Nous trouvons ensuite toute une série de tableaux de natures mortes, de chasse, de scènes de fauconnerie, etc.

SALLE XC.—PEINTRES FLAMANDS (Suite.)

N.° 1627, *La Conception,* par **Erasmo Quellyn** (1607-1678), une toile qui, bien que se trouvant en qualité loin de celles peintes par **Murillo,** est bien réalisée, avec une couleur où on remarque des influences de **Rubens,** maître de l'auteur; ce tableau fut un présent du Marquis de Leganés à Philippe IV. Il y a une copie semblable au Monastère de l'Escorial.

Nous voyons maintenant un groupe d'œuvres de peintres spécialisés aux natures mortes, garde-mangers, sommelleries, etc., de type secondaire.

N.° 1635, *Le charlatan;* **n.° 1636,** *Joueurs de cartes,* scènes populaires, par **Théodore Rombouts** (1597-1637); deux encore, sur des sujets de fruits, oiseaux, etcétera, d'**A. van Utrech,** la série de **Franz Snyders** (1579-1651) sur des animaux, et les natures mortes de **Peter Boel** (1622-1674).

SALLE XCI.—En transformation.

SALLE XCII.—LEGS FERNÁNDEZ DURÁN

Cette salle et les suivantes offrent au public l'importante collection d'œuvres d'art appartenant au legs

Fernández Durán, dont le propiétaire fit donation au Musée en 1930, et qui ont été installées ici convenablement, sauf les tableaux de **Goya,** qui se trouvent accidentellement dans autres salles. La pièce la plus importante de cette collection est peut-être le **n.º 2722,** *La Vierge et l'Enfant*, œuvre de **Van der Weyden** (1399 ?-1464), dont on connaît plusieurs copies avec de petites variantes. Ensuite, nous voyons une autre, **n.º 2725,** *Vierge de Carondélet*, copie de **Van Orley,** attribuée à **Rubens.**

N.º 2724, *Les vierges folles et les vierges sages*, scène bassée sur la parabole de l'Évangile, œuvre de **peintre flamand anonyme,** qui a raport avec l'art d'**Otto van Venius,** maître de **Rubens.**

N.º 2770, *Ecce Homo*, par le peintre **Luis de Morales** (1500-1586), né en Estrémadure, dont nous avons vu déjà des tableaux auparavant, et, enfin, cinq petits tableaux sur les sujets de *La Flagéllation*, *La Déposition de la Croix*, *L'Annonciation*, *Saint Jérôme* et *Repos pendant la fuite en Egypte*, de **Marcellus Coffermans** (1549-1575).

SALLE XCIII.—LEGS FERNÁNDEZ DURÁN (Suite.)

C'est un petit couloir où nous trouvons des dessins italiens des XVIe et XVIIe siècles et des collections de porcelaines chinoises, anglaises et françaises dans les vitrines.

SALLE XCIV.—LEGS FERNÁNDEZ DURÁN (Suite.)

On expose ici les portraits **n.º 2793,** de *Lady Marie Joséphine Drumond, Comtesse de Castelblanco*, et le

2794, *Monsieur Joseph de Rozas*, son époux, par **Jean Baptiste Oudry,** peintre d'école française (1686-1755).

Nous voyons un dessin de **Tiépolo,** deux sujets de **Carnicero,** des portraits d'école française, une aquarelle d'**Eugenio Lucas,** des porcelaines d'Alcora, de la Fabrique Royale, de Saxe, La Granja et Marseille, etc., des cartons pour tapisseries, de **Corrado Giaquinto** (1700 à 1765), et quelques autres.

SALLE XCV.—LEGS FERNÁNDEZ DURÁN (Suite.)

Nous voyons dans cette salle deux tableaux jumeaux, **n.os 2775** et **2776,** *Batailles*, par le capitaine **Juan de Toledo** (1611-1665).

N.o 2728, *La Vierge avec l'Enfant, entourés d'un feston de fruits*, du peintre flamand **Joris van Son** (1623-1667).

N.o 2733, *Paysage avec Flore, Mercure et nymphes*, de **Wildens** (1586-1637).

N.o 2788, *La négation de Saint Pierre*, tableau de grandes dimensions, par **Jean de Boulogne «El Valentín»,** où on remarque l'influence du **Caravaggio.**

On peut avoir aussi quelques natures mortes et paysages de moindre importance.

SALLE XCVI.—LEGS FERNÁNDEZ DURÁN (Fin.)

N.o 2759, *Les saints médecins Cosme et Damien*, tableau de contrastes de lumière et d'ombres, semblable à celui du Musée de Berlin, par **Giovanni Battista Caracciolo** (1570-1637).

N.° **2753,** *Nature morte,* signé par **Pieter Claeszon,** peintre hollandais (1598-1661).

N. 2754, *Nature morte;* **2755,** *Idem,* et **2756,** une autre *Nature morte,* tous trois par **Willem Klaesz Heda,** hollandais aussi (1594-1681).

SALLE XCVII.—ŒUVRES DE PEINTRES FRANÇAIS DES XVIIe ET XVIIIe SIÈCLES

Ces œuvres complètent la série de peintures françaises des Salles XXXIII et XXXIV de l'Étage Principal.

N.° **2247,** *Suzanne accusée d'adultère,* par **Alaine Coypel** (1661-1722); le **n.**° **2346,** *Martyre de Saint-Laurent,* par **Jean de Boulogne, «el Valentín»** (1594-1632).

N.° **2256,** *Paysage avec un anachorète,* et **n.**° **2258,** *Paysage avec les tentations de Saint Antoine Abbé,* tous deux de **Claude le Lorrain** (1600-1682), dont nous avons vu des œuvres précédemment.

N.° **2315,** *Lutte de gladiateurs,* par **N. Poussin** (1594-1665), toile en mauvais état de conservation, de paternité douteuse, et **n.**° **2316,** *Anachorète entre des ruines,* d'un disciple de **N. Poussin.**

N.° **2359,** *Bacchanale;* ce tableau fut la partie antérieure d'un clavecin; on l'attribua au début à **Poussin,** mais on l'a confirmé comme œuvre d'un de ses disciples, peut-être **Gérard Lairesse** (1640-1711).

Au **n.**° **2274,** *La seconde Mademoiselle de Blois, en figure de Léda,* par **Pierre Gobert** (1662-1744); nous voyons à Françoise Marie, fille legitimée de Louis XIV et de la Montespan, sur le bord d'un étang, entourée de serviteurs et de petits amours.

N.° **2267,** une autre *Bacchanale,* par **Michel-Ange**

Houasse, peintre français qui travailla pour Philippe V, et qui vint à Madrid en 1719, et **n.º 2268,** *Sacrifice* à *Bacchus*, du même auteur. Ces deux toiles proviennent de La Granja.

Les **n.ºs 2270,** *Paysanne saxonne à la cuisine*, et **2271,** *Un paysan*, par **François Hutin** (1715-1776).

Enfin, le **n.º 2237,** *Saint Paul et Saint Bernabé à Listra*, basé sur le passage des «Faits des Apôtres», par **Sébastien Bourdon** (1616-1671); le **n.º 2272,** *Le Magnificat*, qui représente le moment où la Vierge réçoit la visite de sa cousine Sainte Isabelle et prononce les paroles qui donnent son nom au tableau, par **J. B. Jouvenet** (1644-1717), et d'autres œuvres moins importantes.

SALLE XCVIII.—PEINTRES ESPAGNOLS DU XIXe SIÈCLE

N.º 863, portrait de *La Reine Marie Isabelle de Braganza*, seconde épouse de Ferdinand VII, par **Bernardo López Piquer** (1800-1874), peintre de Valence, disciple et fils de **Vicente López Portaña,** qui suit la même technique que son père; nous y voyons la Reine qui montre d'une main l'édifice du Musée du Prado, que l'on voit à travers la fenêtre, tandis que sur un guéridon on voit les plans de celui-ci et les patrons pour placer les tableaux.

Les portraits de *Monsieur Joseph Gutiérrez de los Ríos* et de *Madame Delicado d'Imaz* par **Vicente López,** le **n.º 2812,** *Madame Cécile Santos*, peint vers 1840, par **Bernardo López.**

De **José de Madrazo,** peintre ayant des rapports très étroits avec le Musée du Prado, duquel il fut le directeur depuis août 1838 jusqu'à 1857, nous avons le **n.º 2879,** portrait de *Monsieur Gonzalo José de Vilches y Praga, Comte de Vilches.*

De **Federico de Madrazo** (1815-1894), qui fut aussi directeur du Musée et qui, sans aucun doute, est le meilleur peintre de cette famille, nous voyons trois toiles suggestives: **n.º 2878,** *Madame Amalia de Llano y Dotrés, Comtesse de Vilches* (Pl. 95), *Les Comtes d'Eleta,* et le **n.º 2959,** *Madame de Creus,* par **Luis de Madrazo,** et, en fin, de **Raimundo de Madrazo** (1841-1920), nous voyons le **n.º 2603,** *La Marquise de Manzanedo,* dans un cadre très luxueux, et *Madame Manuela de Errazu.*

D'**Antonio de Esquivel** (1806 à 1857), portrait de *Madame Pilar de Jandiola.* **N.º 2560,** *Dame décolletée,* par **J. Manuel Fernández Cruzado,** portrait de femme de mi-corps avec une coiffure de «trois puissances», portant à la main un éventail; **n.º 2904,** *Monsieur Emmanuel Joseph Quintana,* portrait de mi-corps du poète, à sa jeunesse, par **José Ribelles** (1778-1835).

Nous devons enfin citer de récentes acquisitions: portrait de *La Marquise de San Carlos de Pedroso,* par le peintre d'école française **F. E. Giacomotti,** et celui de la peintresse américaine *Mrs. Alice Lolita Muth Ben Maacha,* dû aux pinceaux d'**Ignacio de Zuloaga.**

ÉTAGE INFÉRIEUR, DEMI-SOUS-SOL

Du local destiné à bar-restaurant, salle n.º LXIX, où nous voyons deux belles sculptures d'Apollon et Neptune, classifiées comme appartenant au IIe siècle, nous descendons par la porte à droite à la nouvelle installation, où on a utilisé le demi-sous-sol pour habiliter une salle de conférences, où se tiendront aussi des expositions ayant un caractère temporaire.

SALLE XCIX.—ESCALIER

Nous voyons sur ses murs une série de douze tableaux de l'*Histoire de Renaud et Armide*, basés sur la «Jérusalem délivrée», de T. Tasso, provenant de la collection d'Isabelle de Farnèse, œuvre de **David Teniers** (1582-1649), dont nous avons vu déjà d'autres œuvres.

Suivent des paysages d'**Adries Bath** et **Johannes Bath,** peintres hollandais de paysages et scènes champêtres.

Nous pouvons voir aussi le portrait **n.º 1954,** de *Jacques Ier d'Angleterre*, par **Paul van Somer** (1576-1621), **n.º 2407,** *Charles II d'Anglaterre*, et **n.º 2410,** *Jacques II d'Anglaterre*, frère celui-ci du precedent, et tous deux fils de Charles Ier; les deux toiles dues à des **peintres anonymes anglais.**

SALLE C.—PEINTRES ANGLAIS

Le **n.º 2858,** *Portrait d'un ecclésiastique*, de mi-corps, pas identifié, et celui de *Mr. James Bourdien*, par le plus remarquable des portraitistes anglais, **J. Reynolds** (1723-1792); un autre portrait du docteur *Isaac Henri Sequeira* et celui de *Robert Butcher*, tous deux du peintre de même école, **Thomas Gainsborough,** un autre merveilleux de **Thomas Lawrence** (1769-1830), portrait du X *Comte de Westmorland* (Pl. 96), de brillant coloris.

Vient ensuite le **n.º 2584,** *Un chevalier anglais*, avec chapeau de paille sous le bras, de **George Romney**

(1734-1802) et, du même auteur, nous voyons l'*Enfant Master Ward.*

Deux paysages, maintenant: le **n.º 2852,** *La Torre del Oro* («Tour de l'Or»), et **n.º 2853,** *Le château d'Alcalá de Guadaira,* par **David Roberts** (1796-1864), peintre spécialisé à ces sujets.

Parmi d'autres toiles de moindre intérêt, il y a en une qui excelle: le magnifique *Portrait d'un chevalier,* œuvre de **Sir John Watson Gordon** (1790-1864).

SALLE CI.—PEINTRES HOLLANDAIS

On expose dans cette salle des œuvres de plusieurs peintres flamands. Parmi quelques paysages et marines, nous voyons aussi le **n.º 2106,** *Dame hollandaise,* de **M. Mierevelt** (1567-1641).

N.º 1986, *Libération de prisonniers,* par **Guillaume van Herb** (1614-1677).

N.º 2293, *Bénédiction épiscopale,* par le peintre flamand **F. Pourbus** (1569-1622).

SALLE CII

Et, enfin, nous passons à cette salle, où nous contemplons plusieurs spécimens de la peinture hollandaise.

N.º 2557, *Un général,* par **Adrien Backer** (1638-1684); **n.º 2120,** *Choc de Cavalerie,* par **Van der Neer** (1634-1703); **n.º 2167,** *Portrait de J. van Olcenburnevelt,* par **anonyme hollandais, n.º 127,** *La charité romaine,* par **Mateo Stomer** (XVIIe siècle); **n.º 2088,** *Apollon devant le tribunal des dieux,* par **Van Harlem** (1562-1636), et **n.º 1555,** *Banquet de soldats et courtisanes,* par **C. van der Lamen.**

INDEX ONOMASTIQUE DES PEINTRES

Avec indication de l'école à laquelle ils appartiennent et page où ils sont mentionnés.

TABLE DES ILLUSTRATIONS

PLANCHES EN COULEUR

PLANCHES EN BLANC ET NOIR

TABLE DES MATIÈRES

ÉTAGE PRINCIPAL

REZ-DE--CHAUSSÉE

ÉTAGE SUPÉRIEUR

(Corps du Sud.)

ÉTAGE SUPÉRIEUR

(Corps du Nord.)

ÉTAGE INFÉRIEUR, DEMI-SOUS-SOL